les hommes
du Nord

Partie d'un harnais en bronze doré provenant de Broa en Suède

Deux anneaux d'or

Poignée d'épée danoise, datant du IXe siècle

Pièce de jeu danoise en ambre

Œuf de Pâques

Paysan-guerrier viking

Figurine suédoise représentant un homme à cheval, datant du Xe siècle

Bracelet danois en or

les hommes du Nord

par

Susan M. Margeson

Photographies originales de Peter Anderson

Reconstitution
d'une figure de proue
amovible

Garniture de passe-bride
d'un harnais en bronze doré,
du Danemark

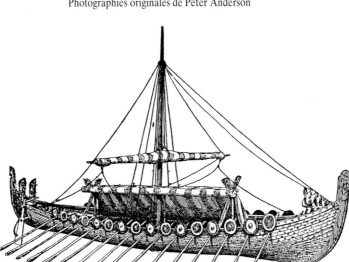

Passant de ceinture
provenant de la
région de la Volga

Marteau de Thor

Fibule dans le style
norvégien d'Urnes

GALLIMARD

Crucifix de Aby,
au Danemark,
datant environ
de 1100

Montant en tête d'animal
provenant du navire-sépulture
d'Oseberg, en Norvège, datant
des années 800-850

Comité éditorial

Londres :
Simon Adams, Céline Carez, Julia Harris,
Andrew Nash, Julia Ruxton, Catherine Semark,
Scott Steedman et David M. Wilson

Paris :
Christine Baker, Catherine Destephen,
Françoise Favez et Jacques Marziou

Edition française préparée par
Alice Boucher

Conseiller : Yves Cohat

Publié sous la direction de

Peter Kindersley,
Jean-Olivier Héron
et
Pierre Marchand

Pendentif de femme
en argent

Fibule d'argent
de Birka,
en Suède

Pièces de
monnaie danoises

Applique de bride en bronze doré
de Broa, en Suède

Clef en bronze du
Gotland, en Suède

ISBN 2-07-058338-4
La conception de cette collection est le fruit
d'une collaboration entre les Editions Gallimard
et Dorling Kindersley
© Dorling Kindersley Limited, Londres, 1994
© Editions Gallimard, Paris, 1994, pour l'édition française
Loi n° 49-956 du 16 juillet 1949
sur les publications destinées à la jeunesse
Dépôt légal : février 1994
N° d'édition : 66481
Imprimé à Singapour

Coupe de Jelling

SOMMAIRE

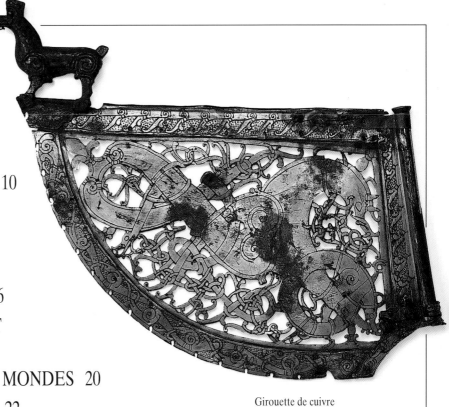

Girouette de cuivre doré, probablement utilisée sur un navire

LES HOMMES QUI VENAIENT DU NORD

Durant trois cents ans, du VIIIe au XIe siècle, les Vikings déferlèrent sur le monde. Quittant leurs foyers en Norvège, en Suède ou au Danemark, à bord de navires, ils partaient à la recherche de terres, d'esclaves, d'or et d'argent. Ils sillonnèrent l'Europe, voyagèrent jusqu'à Bagdad et atteignirent même l'Amérique. La rapidité et l'audace des attaques vikings devinrent légendaires. Des moines chrétiens décrivirent l'horreur et la violence des raids sur les riches monastères et les villes. Cependant les Vikings étaient plus que des sauvages barbares du Nord : marchands astucieux, excellents navigateurs et constructeurs de navires, ils possédaient en outre une tradition orale fort riche et vivaient dans une société ouverte et, pour l'époque, démocratique.

DE ROMANTIQUES VIKINGS

Les Vikings furent souvent l'objet de représentations extravagantes dont la plupart étaient fausses. Aucun d'eux ne se couvrit jamais le chef d'un casque à cornes par ailleurs bien encombrant pendant un combat (p. 13).

BROCHE FÉLINE

Avec ce type de broche, ou fibule, le Viking suédois attachait sa cape. En argent plaqué d'or, elle comporte des détails rehaussés de nielle (émail noir). Les têtes de chat qui la décorent appartiennent au style de Borre.

NAVIRE EFFRAYANT

Les Vikings sculptaient souvent des bêtes terrifiantes sur leurs navires pour effrayer l'ennemi (p. 10). Cette gueule de dragon fut découverte dans le lit d'une rivière hollandaise. Datant du Ve siècle, elle proviendrait d'un navire de guerre saxon ayant fait naufrage. Aussi, si les grands voiliers existaient depuis fort longtemps, les Vikings surent parfaire ce type de vaisseau en apportant un grand nombre d'innovations comme la quille et la rame-gouvernail.

LE MONDE VIKING

Aventuriers et marchands, les Vikings commencèrent leurs expéditions dès le début du VIIIe siècle. Ils découvrirent l'Islande en 874 puis en 985, naviguant plus à l'ouest, le Groenland (pp. 20-21). Premier Européen, sans doute, à poser le pied en Amérique, Leif l'Heureux se serait établi en Terre-Neuve, au Canada, vers 1000. Les Vikings s'aventurèrent également vers l'est, naviguant sur la mer Baltique, remontant les fleuves de Russie et poursuivant, par voie de terre, jusqu'à Constantinople (aujourd'hui Istanbul) et Jérusalem. Ils firent voile enfin le long de la côte ouest de l'Europe et sur la mer Méditerranée. Ils multipliaient leurs incursions, et, grâce à l'efficacité de leurs navires et à leurs talents de marins, ils attaquaient les populations par surprise.

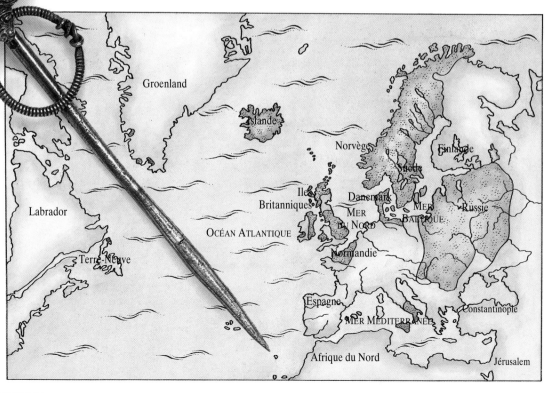

Groenland

Islande

Norvège

Finlande

Suède

Îles Britanniques

Danemark

MER DU NORD

MER BALTIQUE

Russie

Labrador

OCÉAN ATLANTIQUE

Normandie

Terre-Neuve

Espagne

MER MÉDITERRANÉE

Constantinople

Afrique du Nord

Jérusalem

Fils d'argent en forme de racines et de pousses de plantes

Boucle d'argent pour chaîne

Représentation d'un gros oiseau

HACHE DE CHEF
Ce grand fer de hache, incrusté de fils d'argent, fut découvert à Mammen, au Danemark. Cette face-ci est ornée d'un visage aux yeux exorbités et d'un oiseau fabuleux s'enroulant dans ses propres ailes prolongées par des racines et des pousses de plantes. Trop belle pour avoir servi sur le champ de bataille, elle appartenait peut-être à un chef en tant que symbole de sa puissance.

Le marteau fixé à cette boucle est porté en pendentif

MARTEAU DE THOR
Les Vikings croyaient en de nombreux dieux (pp. 52-53). Ce marteau d'argent est le symbole du dieu Thor qui conduisait un chariot à travers le ciel, frappant les serpents avec son marteau. Il avait pour attributs le tonnerre et la foudre.

ÉPÉE ÉTINCELANTE
Pour les Vikings, une épée solide était l'arme la plus précieuse (pp. 14-15). Celle-ci, magnifiquement ouvragée, fut fabriquée et décorée en Norvège. La poignée et la garde sont en cuivre damasquiné d'or, d'argent tressé et de fils de cuivre. Son propriétaire a dû mourir au cours d'un combat en Irlande car on l'a trouvée dans la tombe d'un homme à Dublin (pp. 54-57).

Pommeau

Fuseau parfois recouvert de cuir

Garde pour protéger la main

Casque à crête et bec d'oiseau

Moustache

Bouche

VOICI LES VIKINGS !
Ivar le Désossé et son armée envahirent l'Angleterre en 869. Sur ce manuscrit enluminé du XIIe siècle, des navires remplis de guerriers armés accostent. Des passerelles permettent aux éclaireurs de débarquer. Ivar et ses hommes terrorisèrent le pays et tuèrent le roi Edmond (p. 17).

MYSTÉRIEUX VISAGE DE VIKING
Qui est-ce ? Un dieu ? Un héros de légende ? Un guerrier ? Les représentations réalistes de Vikings sont rares. La plupart des êtres humains et des animaux (pp. 36-37) présents dans leur art sont donc imaginaires ou bien difficiles à identifier. Cette petite tête d'argent provenant de Aska, en Suède, était enfilée sur une chaîne, en pendentif, peut-être pour mettre l'ennemi en garde ou pour porter chance.

Lame d'épée rouillée

LES SEIGNEURS DES MERS

Les Vikings furent d'admirables navigateurs qui n'hésitaient pas à bord de leurs drakkars de bois à affronter les mers les plus hostiles même encombrées de récifs et d'icebergs. Quand le vent était favorable, ils hissaient une grande voile rectangulaire. En cas de calme plat ou pour livrer combat, ils abaissaient le mât et utilisaient les rames. Ils naviguaient, autant que possible, à vue le long des côtes (cabotage). En haute mer, ils se dirigeaient d'après le soleil et les étoiles, s'appuyant aussi sur leurs connaissances des oiseaux de mer, des poissons, des vents et des différentes formes des vagues. Seuls quelques drakkars miraculeusement conservés, comme ceux d'Oseberg et de Gokstad (Norvège), témoignent encore aujourd'hui de l'habileté des charpentiers vikings.

Montant d'étrave ou proue

Le vaisseau est en chêne clair, et le mât en pin fort lourd.

FOUILLE DU NAVIRE
Les navires norvégiens furent préservés grâce à l'argile exceptionnelle du fjord d'Oslo. Reposant dans un grand tumulus, le navire de Gokstad possédait sur le pont une chambre funéraire où gisait, entouré des offrandes terrestres, le squelette d'un homme inhumé vers 900 apr. J.-C.

EN ROUTE POUR LA VILLE BALAYÉE PAR LES VENTS
Le navire de Gokstad possédait 32 boucliers disposés sur chaque flanc et peints alternativement en jaune et en noir. En 1893, il fut reconstitué grandeur nature et traversa l'Atlantique jusqu'à Chicago, prouvant ainsi la fiabilité de l'original.

Seize bordés (planches) sur chaque flanc, chacun chevauchant celui d'en dessous

Plat-bord (bordage entourant le pont)

LE GRÉEMENT
Les pièces de monnaie et les pierres peintes montrent la façon dont les navires étaient gréés. Sur cette pièce de monnaie de Birka (Suède) est gravé un navire avec une voile ferlée (enroulée).

Seize trous de nage pour les avirons sur chaque flanc

LE NAVIRE DE GOKSTAD
Un des navires vikings les plus somptueux fut exhumé en 1880 à Gokstad, près du fjord d'Oslo, en Norvège. L'habileté des constructeurs se mesure à l'élégance des lignes de la proue et des bordés (planches). Le navire mesure 23,20 m de long et 5,20 m de large. La quille a été taillée d'une seule pièce dans un chêne haut d'au moins 25 m !

Quille

Mât

Éclisse de mât pour maintenir celui-ci en place

Banc de nage

LE MÂT DE GOKSTAD
On abaissait le mât, fort lourd, dans le trou de l'étambrai où il était maintenu en place par une éclisse de bois. Les bancs de nage pouvaient s'ouvrir, afin que les marins puissent y entreposer leurs effets personnels.

Bordage à clins

Étambrai

Quille

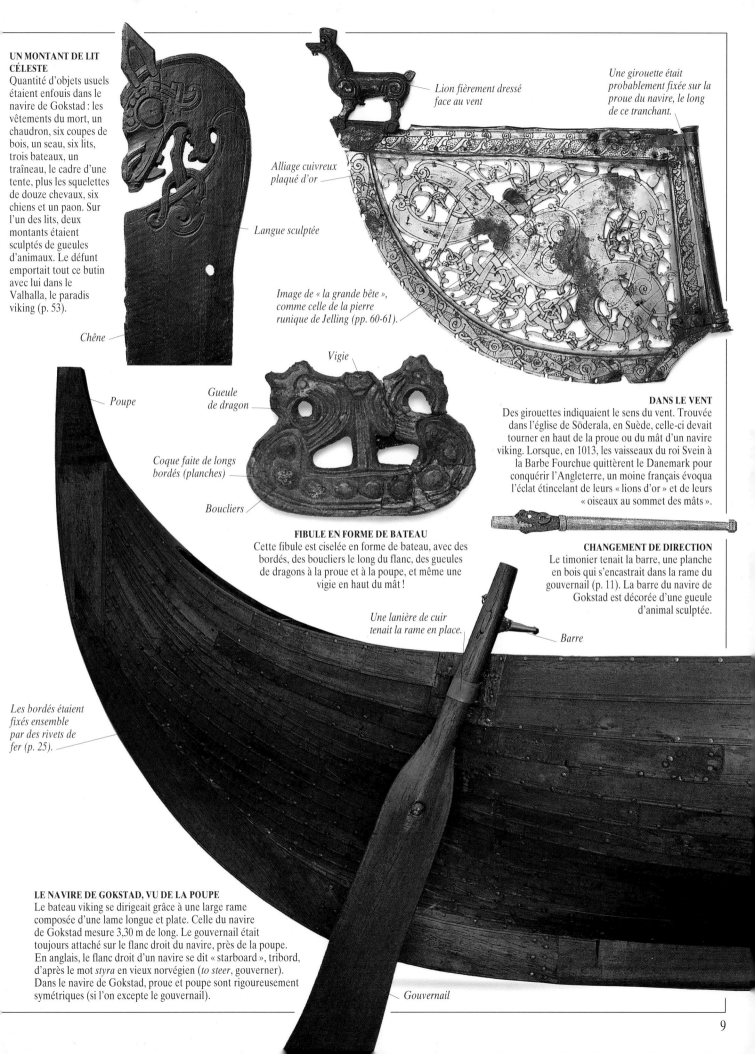

UN MONTANT DE LIT CÉLESTE
Quantité d'objets usuels étaient enfouis dans le navire de Gokstad : les vêtements du mort, un chaudron, six coupes de bois, un seau, six lits, trois bateaux, un traîneau, le cadre d'une tente, plus les squelettes de douze chevaux, six chiens et un paon. Sur l'un des lits, deux montants étaient sculptés de gueules d'animaux. Le défunt emportait tout ce butin avec lui dans le Valhalla, le paradis viking (p. 53).

Chêne

Lion fièrement dressé face au vent

Une girouette était probablement fixée sur la proue du navire, le long de ce tranchant.

Alliage cuivreux plaqué d'or

Langue sculptée

Image de « la grande bête », comme celle de la pierre runique de Jelling (pp. 60-61).

Poupe

Vigie

Gueule de dragon

Coque faite de longs bordés (planches)

Boucliers

FIBULE EN FORME DE BATEAU
Cette fibule est ciselée en forme de bateau, avec des bordés, des boucliers le long du flanc, des gueules de dragons à la proue et à la poupe, et même une vigie en haut du mât !

DANS LE VENT
Des girouettes indiquaient le sens du vent. Trouvée dans l'église de Söderala, en Suède, celle-ci devait tourner en haut de la proue ou du mât d'un navire viking. Lorsque, en 1013, les vaisseaux du roi Svein à la Barbe Fourchue quittèrent le Danemark pour conquérir l'Angleterre, un moine français évoqua l'éclat étincelant de leurs « lions d'or » et de leurs « oiseaux au sommet des mâts ».

CHANGEMENT DE DIRECTION
Le timonier tenait la barre, une planche en bois qui s'encastrait dans la rame du gouvernail (p. 11). La barre du navire de Gokstad est décorée d'une gueule d'animal sculptée.

Une lanière de cuir tenait la rame en place.

Barre

Les bordés étaient fixés ensemble par des rivets de fer (p. 25).

LE NAVIRE DE GOKSTAD, VU DE LA POUPE
Le bateau viking se dirigeait grâce à une large rame composée d'une lame longue et plate. Celle du navire de Gokstad mesure 3,30 m de long. Le gouvernail était toujours attaché sur le flanc droit du navire, près de la poupe. En anglais, le flanc droit d'un navire se dit « starboard », tribord, d'après le mot *styra* en vieux norvégien (*to steer*, gouverner). Dans le navire de Gokstad, proue et poupe sont rigoureusement symétriques (si l'on excepte le gouvernail).

Gouvernail

À BORD D'UN NAVIRE DE GUERRE

Légers et élancés, les navires de guerre vikings emportaient les guerriers loin sur l'océan. Plus longs et plus rapides, ils avaient une voile, un mât et des rames. Selon leur taille, vingt-quatre à cinquante avirons étaient nécessaires et, pour les voyages au long cours, les guerriers vikings se relayaient par équipe pour ramer. Grâce à sa coque peu profonde, le navire de guerre, même chargé, pouvait s'approcher tout près des criques et accoster directement sur la grève. Les bateaux représentés sur la Tapisserie de Bayeux transportent des chevaux aussi bien que des guerriers. Lorsque le navire échouait sur une plage, hommes et animaux gagnaient le rivage à pied. Au Danemark, on a découvert dans le fjord de Roskilde deux navires de guerre en bon état. Le plus grand, qui mesure vingt-huit mètres de la proue à la poupe, est le navire viking le plus long que l'on ait trouvé.

DES HÔTES INDÉSIRABLES
Un navire plein de guerriers sauvages débarque soudain sur la plage, remplissant d'horreur la population.

Dragon en bois de pin sculpté et peint

Tête d'animal amovible

NAVIRE DANOIS EN FORME DE DRAGON
En 1962, on mit au jour cinq navires vikings dans le fjord de Roskilde, à Sjelland, au Danemark. Ils ont été sabordés (coulés délibérément), probablement pour créer une digue afin de protéger le port des navires ennemis. Celui-ci est une reconstitution de l'un d'entre eux, qui mesurait 17,40 m de long et seulement 2,60 m de large à l'endroit le plus évasé. Le navire possédait sept bordés (planches) – trois en frêne sur le haut et quatre en chêne sur le bas – et douze trous de nage sur chaque flanc permettant à 24 hommes de ramer ensemble.

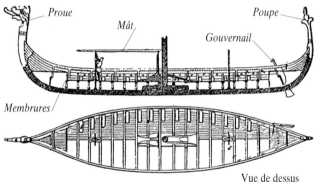

Vue latérale

Proue — *Mât* — *Poupe* — *Gouvernail*

Membrures

Vue de dessus

UN NAVIRE ET DEMI
Les barrots et les membrures renforçaient la coque du navire. On bouchait les espaces entre chaque bordé avec de la laine goudronnée (calfatage) pour rendre le navire étanche et plus souple sur les mers difficiles.

Courroie de cuir maintenant la figure de proue en place

La corde d'origine était sans doute en peau de morse.

Taquet d'amarre

LE NAVIRE DE GUERRE DE GUILLAUME LE CONQUÉRANT
Les Normands descendent de Vikings qui colonisèrent la Normandie (p. 16). Leur conquête de l'Angleterre, en 1066, est représentée sur la Tapisserie de Bayeux. Dans cette scène, le fier navire du chef normand Guillaume le Conquérant fait voile vers l'Angleterre. À la poupe une vigie souffle dans une corne pendant que le timonier tient la barre, attachée à la rame du gouvernail.

Coque faite de sept fins bordés (planches)

Chaque bordé chevauche l'autre selon la technique du « bordage à clins ».

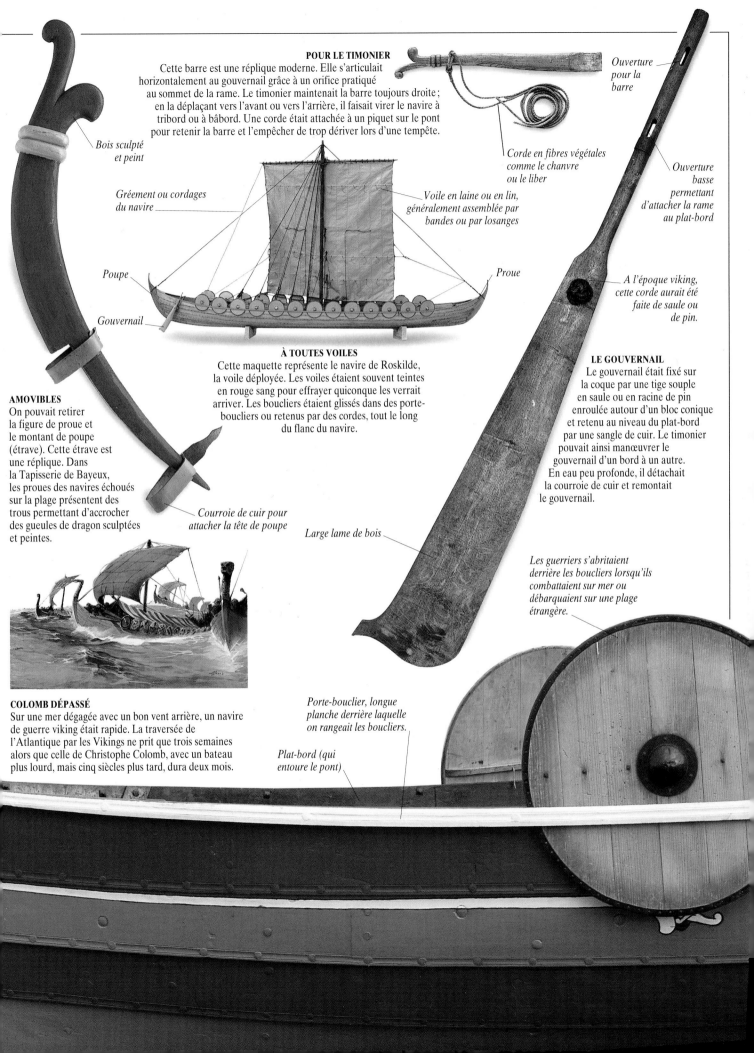

POUR LE TIMONIER

Cette barre est une réplique moderne. Elle s'articulait horizontalement au gouvernail grâce à un orifice pratiqué au sommet de la rame. Le timonier maintenait la barre toujours droite ; en la déplaçant vers l'avant ou vers l'arrière, il faisait virer le navire à tribord ou à bâbord. Une corde était attachée à un piquet sur le pont pour retenir la barre et l'empêcher de trop dériver lors d'une tempête.

Bois sculpté et peint

Gréement ou cordages du navire

Voile en laine ou en lin, généralement assemblée par bandes ou par losanges

Poupe

Proue

Gouvernail

Ouverture pour la barre

Corde en fibres végétales comme le chanvre ou le liber

Ouverture basse permettant d'attacher la rame au plat-bord

A l'époque viking, cette corde aurait été faite de saule ou de pin.

AMOVIBLES

On pouvait retirer la figure de proue et le montant de poupe (étrave). Cette étrave est une réplique. Dans la Tapisserie de Bayeux, les proues des navires échoués sur la plage présentent des trous permettant d'accrocher des gueules de dragon sculptées et peintes.

À TOUTES VOILES

Cette maquette représente le navire de Roskilde, la voile déployée. Les voiles étaient souvent teintes en rouge sang pour effrayer quiconque les verrait arriver. Les boucliers étaient glissés dans des porte-boucliers ou retenus par des cordes, tout le long du flanc du navire.

LE GOUVERNAIL

Le gouvernail était fixé sur la coque par une tige souple en saule ou en racine de pin enroulée autour d'un bloc conique et retenu au niveau du plat-bord par une sangle de cuir. Le timonier pouvait ainsi manœuvrer le gouvernail d'un bord à un autre. En eau peu profonde, il détachait la courroie de cuir et remontait le gouvernail.

Courroie de cuir pour attacher la tête de poupe

Large lame de bois

Les guerriers s'abritaient derrière les boucliers lorsqu'ils combattaient sur mer ou débarquaient sur une plage étrangère.

COLOMB DÉPASSÉ

Sur une mer dégagée avec un bon vent arrière, un navire de guerre viking était rapide. La traversée de l'Atlantique par les Vikings ne prit que trois semaines alors que celle de Christophe Colomb, avec un bateau plus lourd, mais cinq siècles plus tard, dura deux mois.

Porte-bouclier, longue planche derrière laquelle on rangeait les boucliers.

Plat-bord (qui entoure le pont)

QUAND LES BRAVES PARTENT EN GUERRE

L'ère viking fut profondément marquée par l'esprit de bravoure. Pour les guerriers, gloire et honneur sur le champ de bataille comptaient par-dessus tout. Un Viking devait être prêt à suivre son seigneur ou roi dans une guerre, une expédition ou un raid. Compagnon d'une association de loyaux frères d'armes, ou « lid », il pouvait, à tout instant, être appelé à se battre. Vers la fin de l'époque viking, le roi avait pouvoir de lever une armée, « leidang », composée d'hommes et de navires chargés en vivres et en armes. Le royaume était divisé en fiefs dont chacun fournissait un guerrier, ou dont plusieurs, associés, fournissaient un bateau.

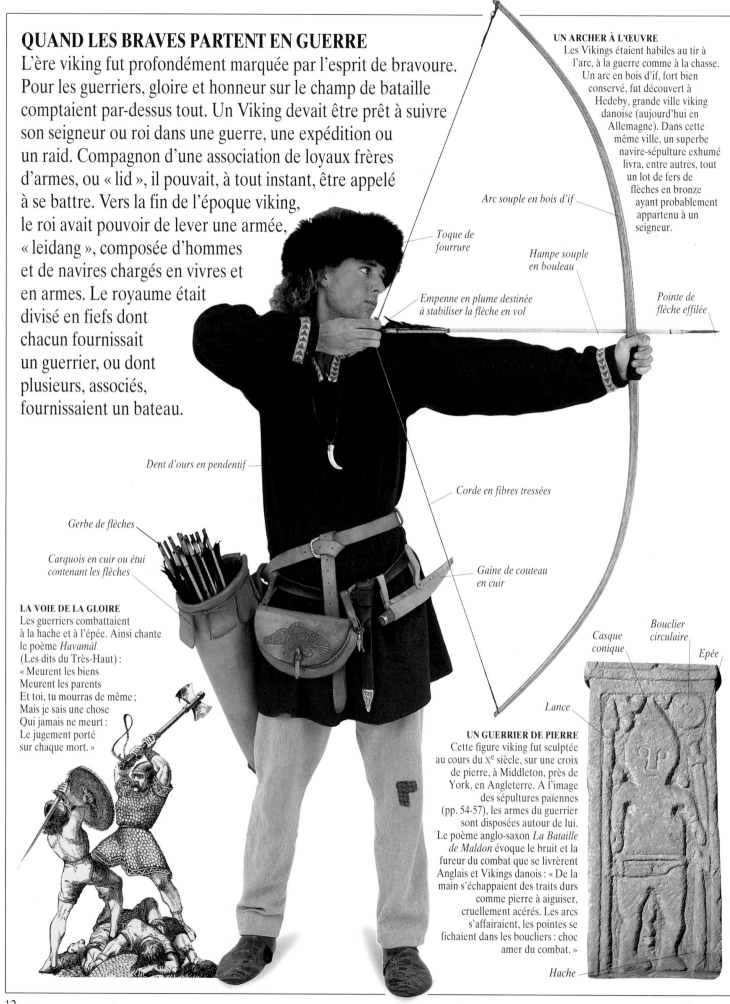

UN ARCHER À L'ŒUVRE
Les Vikings étaient habiles au tir à l'arc, à la guerre comme à la chasse. Un arc en bois d'if, fort bien conservé, fut découvert à Hedeby, grande ville viking danoise (aujourd'hui en Allemagne). Dans cette même ville, un superbe navire-sépulture exhumé livra, entre autres, tout un lot de fers de flèches en bronze ayant probablement appartenu à un seigneur.

Arc souple en bois d'if

Toque de fourrure

Hampe souple en bouleau

Empenne en plume destinée à stabiliser la flèche en vol

Pointe de flèche effilée

Dent d'ours en pendentif

Corde en fibres tressées

Gerbe de flèches

Carquois en cuir ou étui contenant les flèches

Gaine de couteau en cuir

LA VOIE DE LA GLOIRE
Les guerriers combattaient à la hache et à l'épée. Ainsi chante le poème *Havamàl* (Les dits du Très-Haut) :
« Meurent les biens
Meurent les parents
Et toi, tu mourras de même ;
Mais je sais une chose
Qui jamais ne meurt :
Le jugement porté
sur chaque mort. »

Casque conique

Bouclier circulaire

Épée

Lance

UN GUERRIER DE PIERRE
Cette figure viking fut sculptée au cours du Xᵉ siècle, sur une croix de pierre, à Middleton, près de York, en Angleterre. A l'image des sépultures païennes (pp. 54-57), les armes du guerrier sont disposées autour de lui. Le poème anglo-saxon *La Bataille de Maldon* évoque le bruit et la fureur du combat que se livrèrent Anglais et Vikings danois : « De la main s'échappaient des traits durs comme pierre à aiguiser, cruellement acérés. Les arcs s'affairaient, les pointes se fichaient dans les boucliers : choc amer du combat. »

Hache

12

UN NOUVEAU STYLE DE COMBAT

Les Vikings étaient surtout des fantassins. L'apparition de la cavalerie, à la fin de l'ère viking, modifia leur technique de combat. Tissée à Baldishol, en Norvège, vers l'an 1200, cette tapisserie représente un chevalier revêtu d'un casque et d'une cotte de mailles, et tenant un bouclier en forme d'aile. Les boucliers allongés protégeaient le corps plus efficacement que ceux de forme circulaire.

Fer de lance

Plaques de métal soudées

Cotte de mailles attachée à l'arrière du casque pour protéger le cou

LE VÉRITABLE CASQUE

Ce casque viking typique, agrémenté de « lunettes » protectrices, fut trouvé à Gjermundbu, en Norvège.

Casque de fer avec nasal

Hampe de bois

Cotte de mailles protégeant le cou

Fibule ou broche

Tunique de cuir rembourrée

Baudrier ou sangle permettant d'attacher l'épée

UNE BIEN LOURDE CHEMISE

Les morceaux de cette cotte de mailles proviennent de Gjermundbu, en Norvège. Fabriquer une cotte demandait temps et patience. Chaque anneau de fer était forgé séparément puis soudé l'un après l'autre jusqu'au dernier, clos par un rivet.

Garde d'épée destinée à protéger la main

Cotte de mailles couvrant la taille

À CHACUN SA TENUE

A la différence des légionnaires romains ou des soldats modernes, les guerriers vikings ne portaient pas d'uniforme. A chacun de trouver ses vêtements et ses armes. Les chefs possédaient des armes en fer, comme en témoigne l'inventaire de leurs tombes. Les guerriers de moindre rang devaient, eux, s'accommoder du cuir. Moins efficace, il était cependant d'usage plus courant, notamment pour les tuniques et les calots, qui remplaçaient cottes de mailles et casques. Les boucliers constituaient la principale arme de défense des Vikings.

Epée en fer

Pantalon en laine d'Ecosse (tweed)

Fourreau d'épée

Bouclier de bois avec ombilic en fer

Jambière de laine semblable à celles que l'on trouva à York, en Angleterre.

Chaussures de cuir, généralement en peau de chèvre

L'ÉQUIPEMENT DU GUERRIER

Un guerrier viking ne possédait rien de plus précieux que sa lance, sa hache, son bouclier et, surtout, son épée. Dans les poèmes et les sagas (pp. 52-53), les épées portaient des noms louant la force et la précision de la lame ou vantant le somptueux ornement de la garde (poignée) et du pommeau. Les armes étaient en fer, souvent damasquinées ou incrustées d'argent et de cuivre. Une épée magnifiquement ornée révélait la richesse ou la puissance de son propriétaire. Avant l'avènement du christianisme, le Viking était enterré avec ses armes. La plupart des casques étant en cuir, peu ont résisté à la décomposition.

Encoche pour fixer une plume

Planche en bois de 1 m de diamètre

Bordure de cuir protégeant le pourtour du bouclier

Large lame de fer

LES FLÈCHES
Elles servaient à la chasse autant qu'à la guerre (p. 12). On fixait ces pointes de flèches norvégiennes sur une hampe en bois de bouleau. Les deux flèches sur la droite furent utilisées pour chasser le renne, les autres pour tirer les oiseaux.

ARMES D'ESTOC ET DE JET
Les lances comportaient de larges lames et servaient surtout d'armes d'estoc. Leurs douilles étaient généralement décorées. D'autres lances, utilisées comme arme de jet, étaient munies de lames plus étroites et légères permettant un lancer droit et précis.

Motifs géométriques de cuivre et d'argent

BERSERK
Tyr était le dieu viking de la guerre. Sur cette gravure romantique, il porte une peau d'ours grossière en guise de cape. Ainsi s'habillaient les guerriers nommés *berserkir* qui, avant le combat, s'échauffaient jusqu'à entrer dans un état second. Ils devenaient dès lors *berserk*, vieux mot nordique qui signifie « chemise d'ours ».

Fer d'une lance de frappe provenant de Ronnesbaeksholm, Sjelland, au Danemark

La hampe de bois était rivée dans la douille.

Fer d'une lance de jet (ou javelot) provenant de la forteresse de Fyrkat, Jutland, au Danemark

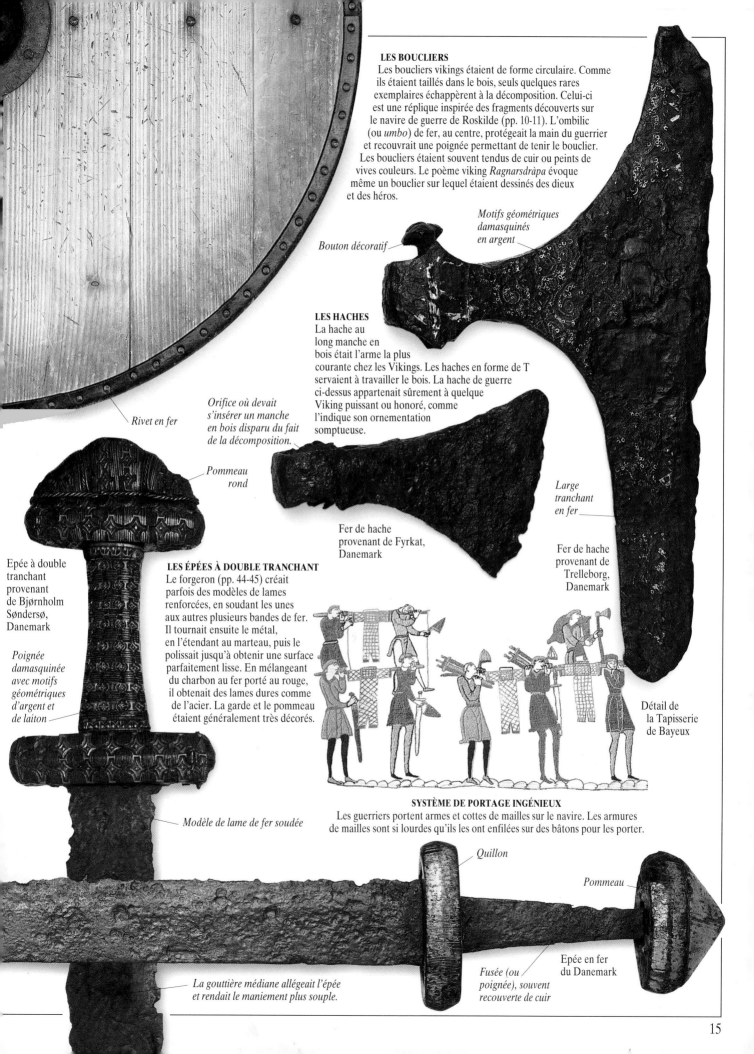

LES BOUCLIERS

Les boucliers vikings étaient de forme circulaire. Comme ils étaient taillés dans le bois, seuls quelques rares exemplaires échappèrent à la décomposition. Celui-ci est une réplique inspirée des fragments découverts sur le navire de guerre de Roskilde (pp. 10-11). L'ombilic (ou *umbo*) de fer, au centre, protégeait la main du guerrier et recouvrait une poignée permettant de tenir le bouclier. Les boucliers étaient souvent tendus de cuir ou peints de vives couleurs. Le poème viking *Ragnarsdràpa* évoque même un bouclier sur lequel étaient dessinés des dieux et des héros.

Motifs géométriques damasquinés en argent

Bouton décoratif

LES HACHES

La hache au long manche en bois était l'arme la plus courante chez les Vikings. Les haches en forme de T servaient à travailler le bois. La hache de guerre ci-dessus appartenait sûrement à quelque Viking puissant ou honoré, comme l'indique son ornementation somptueuse.

Rivet en fer

Orifice où devait s'insérer un manche en bois disparu du fait de la décomposition.

Pommeau rond

Large tranchant en fer

Fer de hache provenant de Fyrkat, Danemark

Fer de hache provenant de Trelleborg, Danemark

Epée à double tranchant provenant de Bjørnholm Søndersø, Danemark

Poignée damasquinée avec motifs géométriques d'argent et de laiton

LES ÉPÉES À DOUBLE TRANCHANT

Le forgeron (pp. 44-45) créait parfois des modèles de lames renforcées, en soudant les unes aux autres plusieurs bandes de fer. Il tournait ensuite le métal, en l'étendant au marteau, puis le polissait jusqu'à obtenir une surface parfaitement lisse. En mélangeant du charbon au fer porté au rouge, il obtenait des lames dures comme de l'acier. La garde et le pommeau étaient généralement très décorés.

Détail de la Tapisserie de Bayeux

Modèle de lame de fer soudée

SYSTÈME DE PORTAGE INGÉNIEUX

Les guerriers portent armes et cottes de mailles sur le navire. Les armures de mailles sont si lourdes qu'ils les ont enfilées sur des bâtons pour les porter.

Quillon

Pommeau

La gouttière médiane allégeait l'épée et rendait le maniement plus souple.

Fusée (ou poignée), souvent recouverte de cuir

Epée en fer du Danemark

ILS TERRORISAIENT L'OCCIDENT

Les Vikings déferlèrent sur l'Europe de l'Ouest, terrorisant les villes côtières, pillant les églises et s'accaparant les richesses, les esclaves et les terres. Le premier raid, dont fut victime le célèbre monastère de Lindisfarne, en 793, choqua le monde chrétien en son entier. Les attaques à travers toute l'Europe s'intensifièrent sur la mer du Nord et sur la Manche. Choisissant au gré de leurs envies les cibles de leurs incursions, les Vikings s'aventurèrent plus avant dans les terres, naviguant sur le Rhin, la Seine, le Rhône et la Loire, envahissant même Paris. Les pilleurs passaient l'hiver dans les lieux qu'ils avaient conquis, d'où ils préparaient d'autres raids, tout en exigeant d'énormes tributs en échange de la paix. Certains guerriers partaient pour de longues expéditions, comme Björn Jarnsmida et son compagnon Hasting qui, avec leurs 62 navires, voyagèrent trois ans en Espagne, en Afrique du Nord, en France et en Italie.

Poids irlandais garni d'une tête d'animal

JETÉE DANS LA TAMISE
Cette épée viking fut retrouvée dans la Tamise, à Londres. La ville fut souvent attaquée, dont une fois par 94 navires, mais ne fut jamais prise.

SOUVENIR DE PARIS
Paris fut conquise un dimanche de Pâques, le 28 mars 845. Charles le Chauve, roi de France, dut payer aux envahisseurs 3 150 kg d'argent en échange de la paix. Ragnar, le chef viking, emporta même une barre de la porte de la ville en souvenir. Mais il mourut de maladie, ainsi que la plupart de ses hommes, sur le chemin du retour en Scandinavie.

Lame en fer rouillée

CARNAGE EN LIEU SAINT
Lindisfarne est une petite île non loin de la côte est de l'Angleterre, dont le nom signifie « Ile Sainte ». Le célèbre monastère du même nom y fut détruit par les Vikings en 793. Ces guerriers représentés sur une pierre de l'île sont sans doute des pilleurs. Selon la chronique anglo-saxonne : « Les païens détruisirent de fond en comble l'église de Dieu à Lindisfarne, en pillant et massacrant. »

RAID SUR LA FRANCE
Cette peinture de navire provient d'un manuscrit enluminé datant environ de 1100 apr. J.-C. Les Vikings attaquèrent les villes françaises et les monastères tout au long du IXᵉ siècle. Un groupe s'établit en bord de Seine ; un autre, dirigé par le chef Rollon, aux alentours de Rouen. La région fut par la suite désignée sous le nom de Normandie, « le Pays des hommes du Nord » (p. 10).

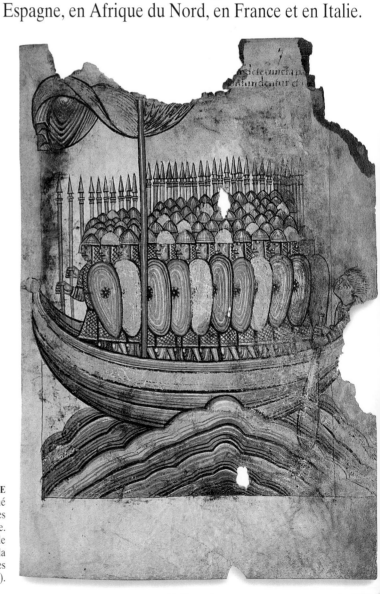

LE MEURTRE DU ROI

Le roi Edmond régnait sur l'Est-Anglie, en Angleterre, en 869. Sur ce manuscrit enluminé du XIIᵉ siècle, des Vikings le frappent. Il fut ensuite attaché à un arbre et criblé de flèches. Comme il refusait de renier sa foi en Jésus-Christ, ils lui tranchèrent la tête. Les Vikings colonisèrent plus tard l'Est-Anglie, à l'époque du roi Guthrum.

Motifs en boucles, caractéristiques de l'art de Dublin

CROSSE IRLANDAISE

Les expéditions sur l'Irlande débutèrent en 795. En 820, les Vikings avaient réussi à s'implanter sur toute l'île. La ville de Dublin devint un centre de commerce florissant, en contact avec de nombreux autres pays. Cette tête d'animal en bois, datée du début du IXᵉ siècle, provient d'une crosse ou d'un bâton de marche. Elle relève du style ornemental viking dit de Ringerike, bien qu'elle ait été fabriquée à Dublin.

SVEIN RENCONTRE LES ÉCOSSAIS

Ce tableau met en scène l'invasion viking de l'Ecosse. La plupart des guerriers étaient des Norvégiens qui arrivaient par les îles de Shetland et d'Orkney. De là, ils atteignirent aisément une grande partie des îles Hébrides, l'île de Man et l'Irlande.

Boîte évidée en bois d'if, recouverte de plaques d'étain et d'alliage cuivreux.

Petites pièces d'émail rouge

La châsse est en forme de maison.

LA MORT DE L'ARCHEVÊQUE

En 1011, l'archevêque Alphege de Canterbury fut capturé par des Vikings furieux que le roi anglais Ethelred ne leur ait pas versé assez d'argent. L'archevêque refusa d'être rançonné et les Vikings, passablement avinés, le frappèrent en lui lançant des os et des crânes d'animaux, puis l'achevèrent avec une hache de combat.

RELIQUAIRE DE RANNVEIG

Cette châsse, ou coffret, fut fabriquée en Ecosse ou en Irlande au VIIIᵉ siècle. Elle contenait autrefois des reliques chrétiennes mais fut emportée en Norvège comme butin. Sur le fond, le nouveau propriétaire inscrivit la mention en runes (pp. 58-59) : « Rannveig possède ce coffret ».

À L'EST, LES MARCHANDS FONDENT DES VILLES

Seule une courte distance sur la mer Baltique sépare la Scandinavie des fleuves de Russie. Les guerriers et marchands vikings naviguaient sur le Dniepr et la Volga, descendant jusqu'à la mer Noire et la mer Caspienne. Puis ils poursuivaient jusqu'aux grandes et mystérieuses villes de Constantinople (le cœur de l'Empire byzantin) et de Bagdad (capitale du califat d'Orient). Ils laissèrent des traces de leurs passages à travers toute la Russie, et au-delà, sous forme de fibules, d'armes et d'inscriptions runiques. Quelques guerriers devinrent même gardes impériaux à Constantinople ; des marchands troquaient des fourrures sibériennes contre de la soie, des épices et de l'argent. Des liens se nouèrent, par le biais de mariages, entre les familles royales russe et suédoise.

DES GRAFFITIS VIKINGS
Ce lion de pierre se dressait autrefois dans le port du Pirée, en Grèce. Un voyageur viking y inscrivit des runes, ancien alphabet scandinave (pp. 58-59), en longs bandeaux circulaires. Ce genre de graffitis est souvent le seul indice relatif aux lieux par où passèrent les Vikings. Bien plus tard, en 1687, des soldats vénitiens rapportèrent le lion à Venise. Les runes sont aujourd'hui bien trop effacées pour qu'on puisse les lire.

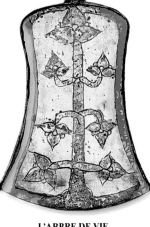

L'ARBRE DE VIE
Un arbre de vie oriental gravé à l'eau-forte décore ce médaillon qui fut peut-être une amulette, probablement remplie d'épices odorantes. On l'a retrouvé dans une tombe à Birka, en Suède, mais il fut sûrement fabriqué dans la région de la Volga, en Russie, ou même plus au sud, à Bagdad.

Boucle d'argent pour passer une chaîne

LES MODES DE L'EST
Les Vikings de Gotland, une île de la mer Baltique, s'aventurèrent fort loin à l'intérieur de la Russie. Leurs excellents artisans adoptaient souvent les modes de l'Est. Ces perles et ce pendant d'oreille sont en cristaux de roche sertis dans de l'argent. Probablement fabriqués à Gotland, où ils furent découverts, ils appartiennent cependant au style slave.

Roche de cristal d'une très belle qualité, taillée comme une lentille convexe

UN PASSÉ VARIÉ
Cette coupe d'argent fabriquée dans l'Empire byzantin, au XIᵉ siècle, fut rapportée à Gotland par des Vikings qui y inscrivirent un nom et des runes magiques sur le fond. Enterrée aux alentours de 1361, elle fut découverte par des terrassiers en 1881.

VIKINGS SUÉDOIS
La plupart des Vikings qui voyagèrent en Russie et dans l'Est étaient suédois. Sur les 85 000 pièces de monnaie arabes découvertes en Scandinavie, 80 000 provenaient de Suède. Les périples à l'est et au sud, la mort des voyageurs en Russie, en Grèce, dans l'Empire byzantin ou encore dans les territoires musulmans, sont retranscrits sur de nombreuses stèles runiques. La plupart des colonies vikings n'étaient que des lieux d'échanges provisoires. D'autres, comme Kiev et Novgorod, étaient plus stables ainsi que l'atteste, entre autres, la présence de femmes.

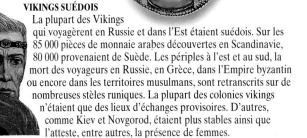

Oiseaux, feuilles et lions ailés

Toque de
fourrure

Hache de combat
avec un long manche
en bois

Long couteau dans
sa gaine de cuir

Tunique de laine avec
pourtour brodé

Pantalon
bouffant à la
mode de l'Est

Bottes de cuir montant
jusqu'au genou

Bouclier
en bois

Epée

À TRAVERS LES TERRES

Les Vikings étaient quasiment
les seuls à tirer ou à porter leurs
légers bateaux pour contourner
les rochers et les rapides des
fleuves russes. Un grand nombre
de stèles commémoratives
disséminées à travers la Russie
évoquent la mort de Vikings.

UN RUS ARMÉ DE PIED EN CAP

A l'est, les populations appelaient les Vikings les « Rus », d'où vient
peut-être le mot Russie. Les écrivains arabes décrivent les marchands
vikings armés d'épées et portant des fourrures de renard noir ou de
castor. Pour l'Arabe Ibn Fadhlan (p. 47, 55), le Rus qu'il rencontra
en 922 était « la plus répugnante des créatures de Dieu ». Il
remarqua avec dégoût qu'ils se lavaient tous dans la même
cuvette, y rinçant leurs cheveux, s'y mouchant et y crachant
les uns après les autres !

UN BOUDDHA VIKING ?

Fabriqué au nord de l'Inde au VIᵉ ou VIIᵉ siècle,
ce bouddha en bronze fit son apparition sur le
comptoir d'Helgö, en Suède. Sans doute était-il
suspendu à l'intérieur d'une maison car, lors de sa
découverte, un lacet en cuir entourait son cou.

LE « CHANT DE LA VOLGA »

Ce tableau est l'œuvre de Vassili Kandinsky (1866-1944).
Les Vikings descendaient la Volga jusqu'à la mer Caspienne et
se procuraient auprès de marchands arabes des soies chinoises,
de la verrerie persane et de l'argent d'Extrême-Orient.

À LA DÉCOUVERTE DE NOUVEAUX MONDES

Les Vikings étaient des explorateurs téméraires, toujours à la recherche de nouveaux espaces. Quittant, pour la plupart d'entre eux, la Norvège, où les vallées étaient surpeuplées et les terres agricoles rares, ils s'aventurèrent sur les eaux vierges et glacées de l'Atlantique Nord. Ils découvrirent les îles Féroé, l'Islande, le Groenland et le lointain Vinland (Amérique). Attirés par les rumeurs qui couraient sur ces découvertes passionnantes, de nombreux colons scandinaves s'embarquèrent sur des navires. C'est ainsi qu'entre 870 et 930 plus de dix mille Vikings parvinrent en Islande. La traversée était longue et dangereuse, et de nombreux navires disparurent dans la tempête. Jamais pourtant ces dangers n'entamèrent ce goût irrépressible qui les poussait vers de nouvelles contrées.

VERT ET ROUGE
Le Groenland fut découvert par un dénommé Gunnbjörn, dont le navire avait été détourné de sa course par une tempête. Erik le Rouge, un grand chef viking proscrit d'Islande après avoir été accusé de meurtre, explora cette île immense en 984 et en 985. Il encouragea des milliers d'Islandais à venir s'y installer.

LE ALTHING
L'Islande est une île volcanique. Cette haute plaine dominée par de grandes falaises de lave fut choisie comme lieu où se réunissait en plein air, une fois par an, le Althing (p. 29). On pense que la première réunion se tint en 930.

L'ISLANDE
Elle fut découverte en 874. En partant de la Norvège, et dans de bonnes conditions climatiques, la traversée pouvait durer sept jours. Le premier colon, Ingolf, qui venait de Sunnfjord, en Norvège, y construisit une grande ferme dans une baie donnant sur la mer. L'élevage des moutons, le fer et la stéatite, qui servaient à fabriquer des armes et des marmites, constituaient les ressources naturelles des colons qui les exportèrent, ainsi que des étoffes de laine et de lin.

Isafjördur

COLONIE DE L'OUEST

Breidafjördur

COLONIE DU NORD

Baie de Faxa

COLONIE DE L'EST

Hafnarfjördur

Le Thingvellir (plaine du Thing)

Vatna Jökull (grand glacier)

Mont Hekla (volcan)

COLONIE DU SUD

UN RENNE EN TUE UN AUTRE
Ces pointes de flèches du Groenland sont sculptées dans des bois de rennes. Le fer étant très rare, il fallait fabriquer les armes avec les matériaux disponibles. Les colons ont sans doute utilisé ces flèches pour chasser les rennes, leur principale source de nourriture.

UNE TERRE DE FEU ET DE GLACE
Les terres intérieures de l'Islande (terre de glace), montagnes et glaciers déchiquetés, sont parsemées de volcans en activité et demeurent inhospitalières. La côte, cependant, est verte et fertile, et à l'époque viking de vastes forêts s'étendaient entre les montagnes et la mer. Les terres intérieures ne furent jamais vraiment peuplées, tandis que la population de la côte, dès 930 apr. J.-C., était dense.

LES ANIMAUX DE HELGE
Cette élégante pièce de bois gravée, datant du XIe siècle, fut découverte dans les ruines d'une maison, au Groenland. Son usage demeure incertain : peut-être un bras de chaise ou une barre de gouvernail (pp. 9, 11). Les têtes d'animaux qui l'ornent sont difficiles à identifier. Une inscription runique gravée sur l'une des extrémités indique probablement le nom du propriétaire, Helge.

L'AMÉRIQUE

C'est accidentellement que Leif l'Heureux, fils d'Erik le Rouge, découvrit une nouvelle terre. Il fut ainsi, vers 1000, le premier Européen à poser le pied en Amérique, probablement en Terre-Neuve, au Canada, qu'il baptisa Vinland, « le pays du vin ». Les Vikings découvrirent aussi le Markland, « le pays du bois », et le Helluland, « le pays de la pierre », qui n'était peut-être rien d'autre que le Labrador et l'île de Baffin au nord.

LES VIKINGS DU VINLAND
Un seul site viking fut découvert en Amérique du Nord, dans l'Anse aux Meadows, en Terre-Neuve. On exhuma de vastes maisons aux minces murs de tourbe. Elles ne recelaient que deux objets, une épingle de robe et une fusaïole (p. 44). Malgré une terre fertile et un climat doux, les colonies vikings n'ont pu se maintenir car elles étaient trop isolées, et, de plus, les autochtones étaient hostiles.

Sur cette tapisserie, Leif l'Heureux regarde le Vinland.

À LA DÉCOUVERTE DU NORD GLACÉ
Cette pierre runique, gravée vers l'an 1300, fut découverte à Kingiktorsuak, au Groenland (73 ° de latitude nord). On y voit des colons explorant le nord glacé de l'île. Le dernier descendant des Vikings au Groenland périt peu après cette date.

LES ESQUIMAUX DU GROENLAND
Les Inuits (Esquimaux) se satisfaisaient des ressources naturelles de la terre et de la mer. Mais les Vikings devaient, pour survivre, importer du bois de construction, du fer et du blé.

LE GROENLAND

La plupart de ses terres hostiles sont couvertes de glace et de neige. Erik le Rouge les baptisa Groenland « le pays vert » pour inciter les Vikings à venir s'y installer. Deux colonies furent créées, à l'est et à l'ouest, dans les seules régions où la terre était cultivable. Ils construisirent des fermes sur les bords des fjords, souvent loin à l'intérieur des terres, où ils élevaient des moutons et des bovins. Cependant, ils dépendaient essentiellement des rennes et des phoques pour se nourrir.

UNE HACHE EN FANON DE BALEINE
Les Inuits du Groenland fabriquaient des armes avec des os de phoque, de baleine et de renne tout comme les Vikings ainsi que l'atteste cette tête de hache en os de baleine trouvée dans une ferme. Bien qu'elle soit de forme analogue à celle des fers de hache (p. 15), elle n'est pas aussi solide. Peut-être était-ce un jouet d'enfant.

Tête d'animal, peut-être d'un ours polaire

Tête d'animal

DES FORTS DE TOURBE ET DE BOIS

Les Vikings édifièrent au Danemark quatre grands forts circulaires dont deux se trouvent à Aggersborg et à Fyrkat, sur la péninsule de Jutland. Les deux autres sont situés à Trelleborg, sur l'île de Sjelland, et à Nonnebakken, sur l'île de Fyn. On a longtemps pensé que ces forts étaient des places militaires qu'avait fait construire le roi Svein à la Barbe Fourchue pour lancer son invasion sur l'Angleterre en 1013. Mais la dendrochronologie – datation d'après les anneaux d'arbre – a prouvé qu'ils furent édifiés vers l'an 980. On sait aujourd'hui que c'est le roi Harald à la Dent Bleue qui les a érigés pour unifier son royaume. Les ossements déterrés dans les cimetières à l'extérieur des remparts ont révélé que des hommes, mais aussi des femmes et des enfants, y avaient vécu. Une partie du fort abritait des ateliers où les artisans forgeaient armes et bijoux.

LES MURS S'ÉLÈVENT
La première étape de la construction d'un fort consistait à déblayer le terrain et à préparer le bois de charpente. Sur ce détail d'un manuscrit enluminé byzantin du XVᵉ siècle, des Vikings suédois bâtissent les murs de Novgorod, en Russie (Xᵉ siècle).

Photographie aérienne du site de la forteresse de Trelleborg

TRELLEBORG

Les forts étaient agencés d'une manière parfaitement géométrique comme on le voit sur cette vue aérienne. Chacun d'eux était entouré d'un haut rempart circulaire, constitué d'un tumulus de terre et de tourbe maintenu par une charpente en bois. Ils étaient divisés par deux routes perpendiculaires, chacun des quatre quarts de cercles ainsi formés comportant une maison. Des portes d'entrée couvertes, probablement surmontées de tours, se dressaient à l'endroit où les routes, pavées de bois de construction, rencontraient les remparts. Le fort le plus vaste, Aggersborg, mesurait 240 m de diamètre. Plus petit, avec ses 136 m, Trelleborg avait ceci d'exceptionnel que 15 maisons supplémentaires furent construites en dehors du fort principal et possédaient leurs propres remparts. Harald fit construire ces quatre forts sur l'emplacement de voies de terre importantes, pour surveiller la région en cas de rébellion.

Remparts circulaires faits de terre et de tourbe maintenues par du bois

Fossé

Rivière

Cimetière

Maison

Rempart extérieur supplémentaire

Quatre maisons autour d'une cour carrée

Deux routes se croisent au centre du fort.

Schéma de la forteresse de Trelleborg

MAISON DE TRELLEBORG
Dans les forts toutes les constructions étaient en bois. Celui-ci s'est décomposé depuis fort longtemps, et ne sont demeurés de l'ensemble que de vagues traces des bâtiments et, dans le sol, des trous où les poutres étaient plantées. Cette reproduction d'un habitat (vue latérale), longue de 29,40 m, fut construite en 1948. L'inclinaison élégante du toit présente un aspect légèrement incurvé rappelant qu'à l'origine le toit n'était probablement qu'un bateau retourné. Les experts estiment aujourd'hui que le toit se prolongeait jusqu'aux poteaux extérieurs, plantés obliquement pour mieux le soutenir.

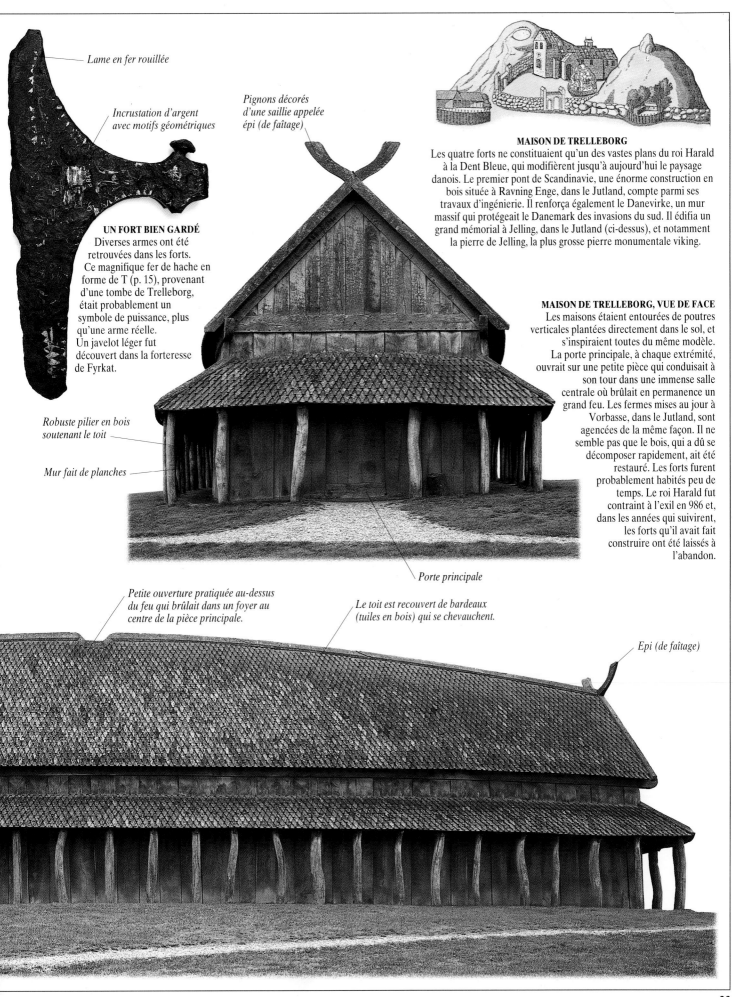

Lame en fer rouillée

Incrustation d'argent avec motifs géométriques

Pignons décorés d'une saillie appelée épi (de faîtage)

MAISON DE TRELLEBORG
Les quatre forts ne constituaient qu'un des vastes plans du roi Harald à la Dent Bleue, qui modifièrent jusqu'à aujourd'hui le paysage danois. Le premier pont de Scandinavie, une énorme construction en bois située à Ravning Enge, dans le Jutland, compte parmi ses travaux d'ingénierie. Il renforça également le Danevirke, un mur massif qui protégeait le Danemark des invasions du sud. Il édifia un grand mémorial à Jelling, dans le Jutland (ci-dessus), et notamment la pierre de Jelling, la plus grosse pierre monumentale viking.

UN FORT BIEN GARDÉ
Diverses armes ont été retrouvées dans les forts. Ce magnifique fer de hache en forme de T (p. 15), provenant d'une tombe de Trelleborg, était probablement un symbole de puissance, plus qu'une arme réelle. Un javelot léger fut découvert dans la forteresse de Fyrkat.

MAISON DE TRELLEBORG, VUE DE FACE
Les maisons étaient entourées de poutres verticales plantées directement dans le sol, et s'inspiraient toutes du même modèle. La porte principale, à chaque extrémité, ouvrait sur une petite pièce qui conduisait à son tour dans une immense salle centrale où brûlait en permanence un grand feu. Les fermes mises au jour à Vorbasse, dans le Jutland, sont agencées de la même façon. Il ne semble pas que le bois, qui a dû se décomposer rapidement, ait été restauré. Les forts furent probablement habités peu de temps. Le roi Harald fut contraint à l'exil en 986 et, dans les années qui suivirent, les forts qu'il avait fait construire ont été laissés à l'abandon.

Robuste pilier en bois soutenant le toit

Mur fait de planches

Porte principale

Petite ouverture pratiquée au-dessus du feu qui brûlait dans un foyer au centre de la pièce principale.

Le toit est recouvert de bardeaux (tuiles en bois) qui se chevauchent.

Epi (de faîtage)

LE GÉNIE MARITIME

Les Vikings construisaient des embarcations dont la forme et la taille variaient selon l'usage auquel ils les destinaient. Mais la conception de base était la même pour toutes : des bordés (planches) qui se chevauchaient, une quille, enfin une proue et une poupe assorties. Les vaisseaux longs et rapides ne servaient que pour les raids ; les navires de charge, plus lents et plus lourds, avaient une coque large pour entreposer les marchandises ; des bacs transportaient les passagers d'un bord à l'autre des rivières ou des fjords ; des petits bateaux naviguaient sur les lacs ; des canots, enfin, étaient embarqués à bord des grands navires.

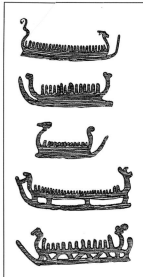

DES BATEAUX DE L'ÂGE DU BRONZE
On a retrouvé en Norvège et en Suède des pierres sur lesquelles étaient gravés des bateaux à rames sans voile, qui dataient de 1800 av. J-C.

LEIF APERÇOIT L'AMÉRIQUE
Les explorateurs partaient sur de robustes navires au fuselage élargi. Bien plus lourds que les navires de guerre, ils étaient aussi plus spacieux et pouvaient embarquer plus de passagers et de vivres. Cette scène pleine de pathétique illustre le voyage de Leif l'Heureux en Amérique (p. 21) : émerveillé, il désigne du doigt le nouveau continent. On voit distinctement le pont surélevé à la poupe.

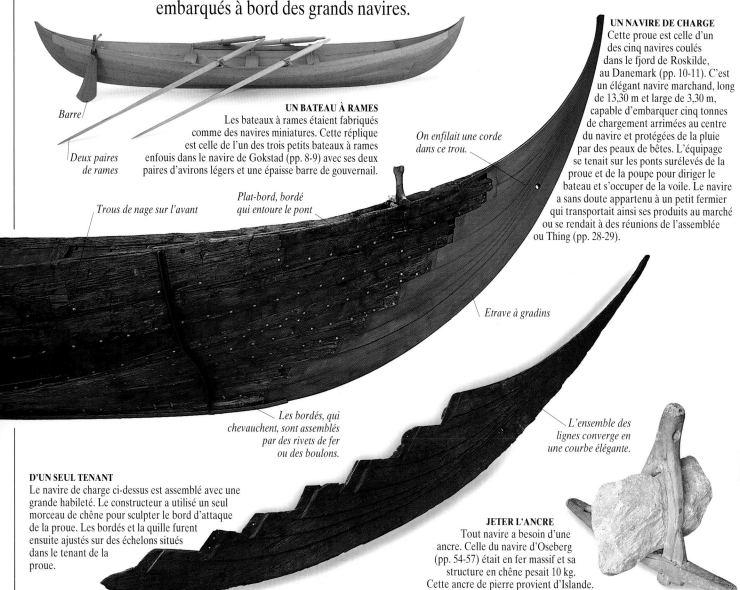

Barre

Deux paires de rames

UN BATEAU À RAMES
Les bateaux à rames étaient fabriqués comme des navires miniatures. Cette réplique est celle de l'un des trois petits bateaux à rames enfouis dans le navire de Gokstad (pp. 8-9) avec ses deux paires d'avirons légers et une épaisse barre de gouvernail.

On enfilait une corde dans ce trou.

UN NAVIRE DE CHARGE
Cette proue est celle d'un des cinq navires coulés dans le fjord de Roskilde, au Danemark (pp. 10-11). C'est un élégant navire marchand, long de 13,30 m et large de 3,30 m, capable d'embarquer cinq tonnes de chargement arrimées au centre du navire et protégées de la pluie par des peaux de bêtes. L'équipage se tenait sur les ponts surélevés de la proue et de la poupe pour diriger le bateau et s'occuper de la voile. Le navire a sans doute appartenu à un petit fermier qui transportait ainsi ses produits au marché ou se rendait à des réunions de l'assemblée ou Thing (pp. 28-29).

Trous de nage sur l'avant

Plat-bord, bordé qui entoure le pont

Etrave à gradins

Les bordés, qui chevauchent, sont assemblés par des rivets de fer ou des boulons.

L'ensemble des lignes converge en une courbe élégante.

D'UN SEUL TENANT
Le navire de charge ci-dessus est assemblé avec une grande habileté. Le constructeur a utilisé un seul morceau de chêne pour sculpter le bord d'attaque de la proue. Les bordés et la quille furent ensuite ajustés sur des échelons situés dans le tenant de la proue.

JETER L'ANCRE
Tout navire a besoin d'une ancre. Celle du navire d'Oseberg (pp. 54-57) était en fer massif et sa structure en chêne pesait 10 kg. Cette ancre de pierre provient d'Islande.

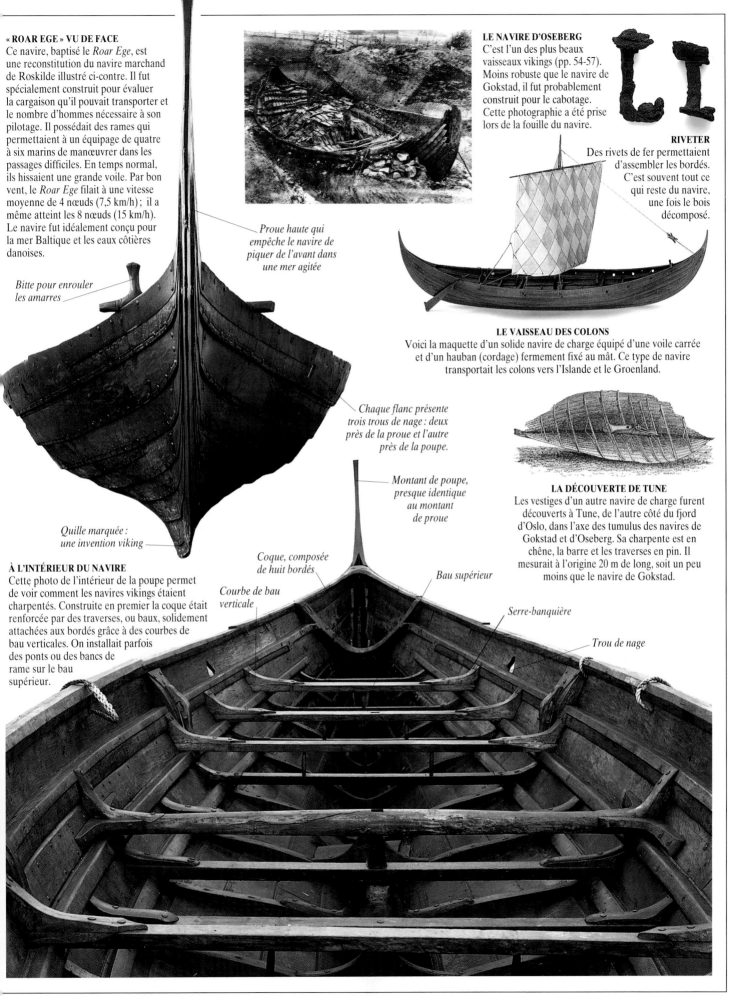

« ROAR EGE » VU DE FACE

Ce navire, baptisé le *Roar Ege*, est une reconstitution du navire marchand de Roskilde illustré ci-contre. Il fut spécialement construit pour évaluer la cargaison qu'il pouvait transporter et le nombre d'hommes nécessaire à son pilotage. Il possédait des rames qui permettaient à un équipage de quatre à six marins de manœuvrer dans les passages difficiles. En temps normal, ils hissaient une grande voile. Par bon vent, le *Roar Ege* filait à une vitesse moyenne de 4 nœuds (7,5 km/h) ; il a même atteint les 8 nœuds (15 km/h). Le navire fut idéalement conçu pour la mer Baltique et les eaux côtières danoises.

Bitte pour enrouler les amarres

Proue haute qui empêche le navire de piquer de l'avant dans une mer agitée

LE NAVIRE D'OSEBERG

C'est l'un des plus beaux vaisseaux vikings (pp. 54-57). Moins robuste que le navire de Gokstad, il fut probablement construit pour le cabotage. Cette photographie a été prise lors de la fouille du navire.

RIVETER

Des rivets de fer permettaient d'assembler les bordés. C'est souvent tout ce qui reste du navire, une fois le bois décomposé.

LE VAISSEAU DES COLONS

Voici la maquette d'un solide navire de charge équipé d'une voile carrée et d'un hauban (cordage) fermement fixé au mât. Ce type de navire transportait les colons vers l'Islande et le Groenland.

Chaque flanc présente trois trous de nage : deux près de la proue et l'autre près de la poupe.

Quille marquée : une invention viking

Montant de poupe, presque identique au montant de proue

LA DÉCOUVERTE DE TUNE

Les vestiges d'un autre navire de charge furent découverts à Tune, de l'autre côté du fjord d'Oslo, dans l'axe des tumulus des navires de Gokstad et d'Oseberg. Sa charpente est en chêne, la barre et les traverses en pin. Il mesurait à l'origine 20 m de long, soit un peu moins que le navire de Gokstad.

À L'INTÉRIEUR DU NAVIRE

Cette photo de l'intérieur de la poupe permet de voir comment les navires vikings étaient charpentés. Construite en premier la coque était renforcée par des traverses, ou baux, solidement attachées aux bordés grâce à des courbes de bau verticales. On installait parfois des ponts ou des bancs de rame sur le bau supérieur.

Coque, composée de huit bordés

Courbe de bau verticale

Bau supérieur

Serre-banquière

Trou de nage

DU PILLAGE AU COMMERCE

Grands marchands, les Vikings voyagèrent très loin de la Scandinavie pour commercer. Le Nord abondait en matières premières fort utiles : le bois de construction pour les navires, le fer pour fabriquer les armes, les fourrures pour confectionner de chauds vêtements. Transportées vers de lointaines destinations, ces marchandises étaient troquées contre des produits locaux. Les marchands revenaient ainsi de Grande-Bretagne avec du blé, de l'argent, des draps et du miel. De la Méditerranée, ils rapportaient du vin, du sel, des poteries et de l'or. Sur les marchés de Constantinople et de Jérusalem, ils négociaient le prix du verre, des épices exotiques, de la soie et des esclaves. Birka en Suède, Kaupang en Norvège, Hedeby au Danemark, York en Angleterre, Dublin en Irlande et Kiev en Ukraine furent d'importants centres commerciaux vikings.

LA TRAITE DES ESCLAVES
Un certain nombre de Vikings s'enrichirent en se livrant à la traite des esclaves. Ils firent prisonniers de nombreux chrétiens, comme ces moines français du IXe siècle. Une partie des esclaves était utilisée pour exécuter des travaux pénibles. L'autre était vendue à des marchands arabes.

Pièce de monnaie et coin – outil servant à frapper la monnaie – provenant de York, en Angleterre

Figurine de laiton ressemblant à un Bouddha

Email coloré

Trois pièces de monnaie danoise anciennes

L'APPARITION DE LA MONNAIE
Les pièces de monnaie devinrent courantes vers la fin de l'ère viking. Auparavant, les produits étaient troqués contre des denrées de même valeur. Les premières pièces de monnaie danoises furent frappées au IXe siècle, mais ce ne fut qu'à partir de 975, sous le règne du roi Harald à la Dent Bleue, qu'on les produisit en grand nombre.

VERRE DU RHIN
Seuls les riches Vikings buvaient dans des gobelets de verre, tels ceux trouvés dans certaines tombes suédoises. Ce verre fut sûrement acheté ou volé en Rhénanie, dans l'Allemagne actuelle.

Cercles en laiton

DE FABRICATION ANGLAISE ?
Parmi les nombreux et magnifiques objets trouvés sur le bateau d'Oseberg (pp. 54-57), on découvrit le mystérieux « seau de Bouddha ». Son anse est retenue par deux figurines de laiton aux jambes croisées, ressemblant à des Bouddhas. Les Vikings cependant n'étaient pas bouddhistes, et le style de l'ouvrage laisse supposer que les figurines furent exécutées en Angleterre. Dès lors, comment ce splendide seau est-il arrivé dans le tombeau d'une reine en Norvège ? Il a dû être marchandé en Angleterre puis rapporté.

Douelles (ou planches pour seau) en bois d'if

DÉFENSES DE MORSE
Le morse était l'un des gibiers favoris des Vikings. Ils consommaient sa chair, sculptaient ses défenses, et son cuir, débité en lanières et torsadé, fournissait d'excellents cordages de bateaux.

Bâton en bois d'épicéa

Douze haches en fer
inachevées

Toque de fourrure
d'un animal non
identifié

Chaude cape
de laine

Fibule
maintenant la cape

Marteau de Thor

Croix

BROCHETTE DE HACHES

Ces fers de hache incomplets, suspendus sur un
bâton en bois d'épicéa, furent trouvés sur une
plage danoise. Vraisemblablement destinés à être
achevés par des forgerons danois, ils
ont dû être rejetés sur le rivage lors du
naufrage d'un navire de charge
retournant au Danemark. Ils
proviennent sans doute de Suède
ou de Norvège, où abondaient
l'épicéa – inconnu au
Danemark – et le fer.

Perles jaune
miel utilisées
en joaillerie

Fil de cuivre

Couteau dans
sa gaine de
cuir

DANS LA BALANCE

On a retrouvé des balances de
marchands un peu partout dans le
monde viking. Ce jeu de balance
(ou trébuchet), découvert sur l'île
de Gotland, en Suède, est fort
commode : grâce à son fléau pliable on le
rangeait dans un étui en bronze lorsqu'on ne
l'utilisait pas.

Plateau
en bronze

Etui à balance
en bronze

SON PESANT D'ARGENT

Avant l'apparition
des pièces de monnaie,
les marchandises étaient
achetées avec de l'argent
haché ou des fragments
de bijoux ou de monnaies
étrangères taillés menus.
Ce marchand pèse de l'argent
haché dans sa balance.

MARCHAND VIKING

Celui-ci vend de l'ambre jaune, la
résine d'arbre fossilisée. L'ambre,
brut ou sous forme de perles, était une
des marchandises les plus exportées de
Scandinavie. De nombreux marchands se
convertirent au christianisme pour
faciliter les échanges avec les pays
chrétiens mais, deux protections valant
mieux qu'une, ils gardaient souvent foi en
leurs dieux païens. Ce marchand porte tout à
la fois une croix chrétienne et un marteau,
symbole du dieu Thor (pp. 7, 55).

Longue tunique
de laine brodée
sur le pourtour

Pantalon
en lainage

Marque indiquant le poids

Fer recouvert de laiton

Chaussures de
cuir lacées autour
de la cheville

POIDS DE MARCHAND

Ces cinq poids proviennent de Hemlingby en Suède. Chacun d'eux est estampé d'un
nombre différent de cercles fins qui indiquent probablement leur poids, variant de un
demi-öre à 1, 2, 3, 4 ou 5 örtugar. Un örtugar équivaut à trois öre, environ 8 g.

UNE SOCIÉTÉ D'HOMMES LIBRES...

La société viking comportait trois classes : les esclaves, les hommes libres et les nobles. Les travaux difficiles étaient exécutés par les esclaves, ou les serfs, qui avaient le crâne rasé. Beaucoup d'entre eux étaient des étrangers capturés au cours des guerres. Petits fermiers, marchands, artisans, guerriers et gros propriétaires terriens faisaient partie des hommes libres. Ils avaient droit de battre à mort les esclaves pour autant qu'ils l'annonçaient publiquement le jour même. Au début de l'époque viking, de nombreux nobles régissaient de petites régions. Ils étaient soumis à la loi du Thing, assemblée locale où les hommes libres faisaient entendre leur opinion et leurs plaintes. En 1000 apr. J.-C., un roi unique et tout-puissant domina la Norvège, le Danemark et la Suède, entraînant le déclin des Thing.

TRÈS COQUET
Le guerrier ou chef viking aisé prenait grand soin de son apparence.
Les cheveux et la barbe de ce Viking sculpté dans du bois d'élan sont soigneusement coiffés.

UN GUERRIER-PAYSAN
Ce paysan appartenait à la classe des hommes libres et possédait sa propre ferme, dont sa femme prenait soin lorsqu'il était à la guerre. Un poème du Xe siècle, le *Rigspula*, décrit un couple de paysans. Lui fabriquait des meubles, elle tissait des étoffes. Ils avaient un fils nommé Karl, qui signifie fermier ou homme libre, dont la femme était vêtue d'une peau de chèvre et portait des clefs, symbole de son statut (p. 33).

Ceinture simple en cuir

Manche de hache en bois

Fer de hache massif

Bouclier de bois avec un ombilic ou umbo en fer

Pantalon en pure laine

Bouton (fermoir) sculpté dans une ramure

Peau de chèvre

Chaussures de cuir

Ce paysan est vêtu fort simplement.

PARTIR DU BON PIED
Luxueuses ou modestes, les chaussures de cuir avaient une forme simple. Les chaussures fantaisie étaient agrémentées d'empeignes colorées et de coutures ornementales. La peau de chèvre était le cuir le plus couramment utilisé.

LE COMBAT
Le *Duel au Skiringsal* fut peint par le Norvégien Johannes Flintoe dans les années 1830. Les différends se réglaient souvent par des duels, qui pouvaient entraîner la mort. Ces combats révoltants furent interdits par la loi en Islande et en Norvège vers l'an 1000. Il arrivait aussi qu'on les porte devant l'Althing (p. 29) ou qu'ils soient réglés par des mises à l'épreuve : les plaignants tentaient de prouver leur intégrité en marchant sur du fer porté au rouge ou sur des débris de pierre tirés d'un chaudron d'eau bouillante. Selon la croyance, l'innocent était protégé par les dieux.

UNE COIFFE FANTAISIE
Les riches arboraient des vêtements coûteux et des bijoux importés. Ces pièces d'une coiffe au style recherché furent fabriquées à Kiev, en Ukraine, et portées par un noble de Birka, en Suède.

Garniture de coiffe en argent

Glands d'argent

Galons permettant d'attacher la cape

LE NOBLE DE MAMMEN
Des vêtements raffinés, des nappes, du pain blanc et des coupes d'argent étaient autant de signes de noblesse. Cet homme porte des vêtements en laine et soie de grande qualité, ornés de lisérés brodés et même de fils d'or et d'argent (p. 45), reconstitués ici d'après ceux que l'on exhuma de la sépulture d'un noble à Mammen, au Danemark. Dans le poème *Rigspula*, le fils d'un couple de nobles, prénommé Iarl, « comte », possède des terres, monte des chevaux et sait lire et écrire les runes (pp. 58-59). Sa femme Erna est belle et sage. Leur fils cadet s'appelle Konr ungr, « roi ».

Chemise de laine brodée d'animaux et de figures

Cape de laine teinte et brodée de festons

COUVRE-CHEF
Cette capuche de soie fut portée par un noble de la ville viking de York, en Angleterre. La soie était sans doute importée de la lointaine Constantinople.

DES FIGURES BRODÉES
La cape de Mammen était bordée d'un feston de soie orné de figures, dont personne ne sait qui elles représentent. La soie avait été importée et la très belle ornementation révèle la richesse de l'homme.

Fourrure soignée

La chemise se portait sur des maillots en lin.

« PAS DE ROI, JUSTE UNE LOI »
Chaque région avait sa propre assemblée, ou Thing. Mais une fois l'an, pendant le solstice d'été, les 12 Things islandais se réunissaient en plein air, pour former le Althing, qui élaborait les lois et rendait la justice.

Pantalon en laine teinte

Fibule de bronze attachant la cape

Boucle de ceinture en bronze

FIBULES ET BOUCLES
Les hommes fermaient leurs vêtements avec des fibules et des boucles, plus ou moins décorées selon qu'ils étaient riches ou pauvres. Celles-ci proviennent du Gotland, en Suède.

... ET DE FEMMES DE POIGNE

Les femmes vikings étaient indépendantes, ce que les voyageurs arabes qui visitèrent la Scandinavie admiraient beaucoup. En l'absence des hommes, partis pour quelque expédition, les femmes dirigeaient la maisonnée et les fermes. Les plus fortunées finançaient la construction de ponts et de chaussées, ou érigeaient des stèles à la mémoire de leurs proches (pp. 58-59). On les admirait pour la façon dont elles tenaient leur maison ou pour leur habileté dans les travaux manuels tels que la broderie. Les enfants vikings n'allaient pas à l'école mais travaillaient aux champs, aidaient à la cuisine, au filage et au tissage. Femmes et enfants ne restaient pas tous à la maison : beaucoup partaient pour des expéditions à destination des colonies, comme l'Angleterre.

BRUNHILDE
Cette gravure romantique représente Brunhilde qui était, d'après la légende, une valkyrie, c'est-à-dire une femme guerrière (p. 53). On ne sait si des femmes vikings ont été, dans la réalité, des guerrières, des marchandes ou des artisanes. On connaît pourtant une femme scalde (poétesse) et une graveuse de runes.

JOUET EN FORME DE CHEVAL
Il y a environ 900 ans, un petit garçon ou une fillette de Trondheim, en Norvège, a joué avec ce cheval en bois. Les enfants avaient également des jouets en forme de navires. Ils se distrayaient avec des jeux de société ou des flûtes taillées comme de petits tuyaux (p. 50). Durant l'été, les jeunes Vikings se baignaient et s'amusaient avec des balles ; l'hiver, ils patinaient et jouaient dans la neige.

DÈS LE PLUS JEUNE ÂGE
Les garçons vikings jouaient avec des armes en bois. Ils commençaient à manier sérieusement les armes dès le début de l'adolescence. Certains jeunes hommes participèrent à des raids dès l'âge de 16 ans.

La pointe est recouverte d'une pièce de cuir pour que les enfants ne se blessent pas.

Lance en bois pour jouer

Tunique de laine avec un col brodé

Sacoche de cuir

Deux gueules d'animal sculptées avec la mâchoire ouverte

L'extrémité de la ceinture est décorée.

Epée pour jouer

UN OS LISSE
Une des tâches principales de la femme consistait à tailler des vêtements pour toute la famille (pp. 44-45). Après avoir tissé une pièce de lin, elle la tendait probablement sur une tablette lisse et la frottait avec une balle en verre jusqu'à ce qu'elle devienne douce et brillante. Cette tablette norvégienne est en fanon de baleine.

Les femmes mariées cachaient leurs cheveux sous un bonnet.

Ramure, sans doute d'un élan

BIEN PEIGNÉ
On a retrouvé dans le monde viking des peignes sculptés dans des os ou des cornes. Ces deux-là proviennent de Birka, en Suède. Les femmes prenaient grand soin de leur coiffure, retenant avec de fines pinces en métal les mèches rebelles. Elles se nettoyaient les oreilles avec une sorte de petite cuillère en métal.

Rivet en fer

Fibule ovale

ROBE DE TOUS LES JOURS
Les femmes vikings étaient très soucieuses de leur apparence ; celle-ci est vêtue d'une longue robe-chemise sur laquelle elle porte une courte robe-chasuble maintenue en place par deux fibules ovales. Un Arabe qui visita la ville viking de Hedeby vers 950 apr. J.-C. rapporta que les femmes, et un grand nombre d'hommes, se maquillaient pour souligner leur beauté.

Cheveux coiffés en chignon

Corne à boire

FERMOIRS DE ROBE
Seules les femmes portaient les fibules ovales. Celles-ci proviennent d'Agerup, au Danemark. La présence de ce type de fibule dans une tombe permettait donc d'identifier le squelette comme étant celui d'une femme. Son emplacement sur l'épaule, malgré l'absence du tissu, montrait où elle avait été agrafée.

Tunique d'enfant

Traîne

UNE FEMME SUÉDOISE
Ce pendentif en argent représente une femme vêtue d'une robe à traîne triangulaire, et qui tient une corne à boire. Peut-être était-ce une valkyrie (p. 53).

Chaussures d'enfants

Collier de perles

Cheveux coiffés en forme de nœud

Large fibule en anneau

Robe-chasuble

EN GRANDE TOILETTE
Ce petit pendentif représente aussi une femme en grande toilette, qui porte un châle par-dessus une longue robe tombante et dont la chevelure est élégamment coiffée en forme de nœud. Les perles et la large fibule qu'elle arbore sont aisées à identifier. La fonction de ce type de pendentif n'est cependant pas très claire. Avait-il quelque signification magique ? Les figurines ont peut-être symbolisé des dieux.

Châle

Longue robe-chemise avec une traîne flottante

Longue robe-chemise

Robe-chasuble décorée de festons tissés

31

UN INTÉRIEUR CHAUD MAIS RUDIMENTAIRE

Toute la vie domestique convergeait vers la salle centrale, agencée de façon à peu près identique dans tout le monde viking. Au milieu, brûlait un grand feu, une aération étant aménagée dans le toit. Le sol était en terre battue. Des banquettes – simples cadres de bois remplis de terre – , installées le long des murs incurvés, servaient à la fois de siège et de lit. Elles étaient garnies d'oreillers et de coussins rembourrés de duvet de canard ou de plumes de poulet. Les maisons ordinaires contenaient parfois quelques meubles en bois, ou encore un coffre renfermant de précieux biens personnels. Elles étaient souvent prolongées par de petites pièces attenantes à la pièce principale. Des constructions basses, dont le sol était creusé directement dans la terre, faisaient office de maisons, d'ateliers, d'appentis pour le tissage ou d'étables. La salle centrale d'un chef viking s'ornait parfois de tentures ou de panneaux de bois gravés ou peints accrochés aux murs.

MAISONS DE STYLE ISLANDAIS
Le bon bois de construction étant rare en Islande et dans les autres îles de l'Atlantique Nord, on construisait généralement les maisons sur des fondations de pierre. Celles-ci étaient creusées directement dans le sol, qui retenait la chaleur en hiver et la fraîcheur en été. Toits et murs étaient en tourbe, ces derniers étant recouverts de panneaux de bois, préservant du froid et de l'humidité.

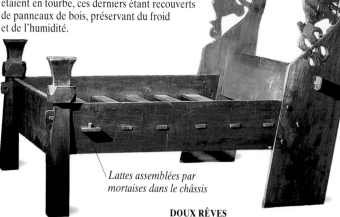

Montants, placés à la tête du lit, sculptés de superbes têtes d'animaux

Lattes assemblées par mortaises dans le châssis

DOUX RÊVES
Seuls les riches avaient des chaises et des lits.
Plus couramment, les Vikings s'asseyaient sur des bancs et des tabourets, ou sur le sol, les jambes croisées, ou encore s'accroupissaient. Pour dormir, ils s'allongeaient sur des couchettes le long des murs. La femme fortunée du navire d'Oseberg (pp. 54-57) fut enterrée avec trois lits. Celui-ci, en hêtre, est une réplique du plus beau d'entre eux. A la tête du lit, les montants sculptés sont des têtes d'animaux baissées pour former un arrondi.

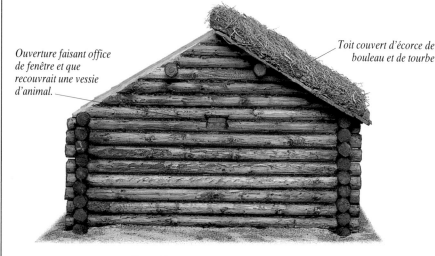

Ouverture faisant office de fenêtre et que recouvrait une vessie d'animal.

Toit couvert d'écorce de bouleau et de tourbe

Vue arrière de la maison de Trondheim

LA MAISON DE TRONDHEIM
Voici la maquette d'une maison construite à Trondheim, en Norvège, aux alentours de l'an 1003. Ses murs sont faits de rondins à entailles, ajustés les uns sur les autres à chaque coin. Une couche d'écorce de bouleau, protégeant de la pluie est répandue sur le toit en pointe, puis recouverte de tourbe, la terre et l'herbe contribuant à l'isolation. La construction des maisons variait selon les traditions locales et les matériaux disponibles. Les murs étaient élevés avec des poutres verticales, enduites de torchis, un mélange de paille et de boue, ou encore habillées de planches horizontales, comme dans les forts danois (pp. 22-23). Les toits étaient recouverts de bardeaux (tuiles de bois), de chaume ou de roseaux.

Vue de côté de la maison de Trondheim

*Le fermoir
s'insère dans cette
boucle lorsqu'il
est fermé.*

*On introduisait
la clef ici.*

*Partie du fermoir
reliée au mécanisme
de fermeture*

*Plaque
de la serrure*

Poignée cassée

DE L'ARGENT POUR LES RICHES
Ce fin gobelet d'argent appartenait sans
doute à un riche Viking. Il ne mesure
que 4,40 cm et fut découvert à Lejre,
au Danemark. Il est décoré de
quatre créatures mi-homme,
mi-oiseau.

*Pour ouvrir la boîte,
on tournait la clef
avant de la faire
glisser dans le bas
de cette fente.*

Clef qui ferme à gauche

Poignée

FERMÉ À CLEF
Les femmes étaient
responsables de la
maisonnée et
surtout du coffre
fermé à clef
contenant les objets de valeur. Cette serrure de fer
provient d'une boîte en bois d'érable dans laquelle une
femme de Onsid, Jutland, Danemark, serrait sans doute
ses pièces de monnaie ou ses bijoux. A sa mort, au cours
du Xe siècle, elle fut enterrée avec la boîte et sa clef.

UNE CLEF EN BRONZE
La clef symbolisait responsabilité
et dignité. Celle-ci, du IXe siècle,
en bronze coulé magnifiquement décoré est
danoise. Quiconque volait un objet contenu dans
un coffre fermé à clef était sévèrement puni.

*Décoration
ajourée, composée
de quatre bêtes
« agrippeuses »*

Chevrons du toit

*L'arbalétrier est la poutre
qui maintient les chevrons
du toit principal.*

*Porte de l'unique pièce
de la maison*

*Fine couche d'écorce
de bouleau protégeant
de la pluie*

*Couche épaisse de
gazon pour l'isolation*

LA TABLE DES VIKINGS

Le feu brûlait dans l'âtre toute la journée, tant pour la cuisine que le chauffage. L'ouverture pratiquée dans le toit pour l'aération fonctionnait rarement bien. Dans les maisons riches, chaque pièce était chauffée par un four contenant des pierres brûlantes. Quand le soir tombait, les Vikings se réunissaient pour partager le repas principal de la journée. Les mets et la façon de servir variaient selon qu'on était pauvre ou riche. Si la plupart des Vikings buvaient de la bière brassée à partir de l'orge et du houblon malté, les pauvres utilisaient des chopes de bois, tandis que les riches, pour mieux apprécier le vin allemand importé dans des barriques, se servaient de cornes à boire cerclées de métal décoré.

FESTIN NORMAND
Cette scène de la Tapisserie de Bayeux (p. 10) représente la table chargée de nourriture et de vaisselle d'un banquet. Les Vikings fortunés avaient des couteaux et des cuillères richement décorés, des coupes et pichets en poterie importés, parfois même des coupes en argent. Les bols et les coupes en bois étaient d'usage plus commun.

NOURRITURE DE LA MER
Pour les Vikings qui vivaient près de la mer, le poisson constituait la nourriture de base. On a retrouvé des arêtes de morue, de hareng et de haddock, dans de nombreuses colonies vikings. On pêchait aussi l'anguille et les poissons d'eau douce tels que la truite, dans les rivières et les lacs.

PLANTATIONS MAISON
Les choux et les pois étaient les légumes les plus courants que les Vikings cultivaient souvent eux-mêmes.

Pois séchés

MORUE SÉCHÉE
Il fallait conserver la nourriture pour l'hiver. On suspendait viande et poisson à l'air pour qu'ils sèchent. L'eau salée constituait un autre mode de conservation : on recueillait le sel en faisant bouillir de l'eau de mer. Le poisson et la viande étaient sans doute également fumés.

POIS ET ÉCORCE DE PIN
En cas de disette, les Vikings fabriquaient le pain avec ce qu'ils trouvaient. Une miche découverte en Suède contenait des pois séchés et de l'écorce de pin.

Le cumin, une épice trouvée dans la sépulture d'Oseberg

DIGNE D'UNE REINE
Le raifort est l'un des condiments recueillis dans la sépulture d'Oseberg (pp. 54-57), avec du blé, de l'avoine et des fruits.

CUIRE LE PAIN
Après avoir pétri la pâte dans des pétrins de bois on la plaçait sur une plaque chauffante au-dessus d'un feu (comme sur cette peinture suédoise du XVIe siècle) ou dans un poêlon posé sur de la braise. Le pain d'orge était le plus courant mais il existait aussi des pains de fine farine de blé, réservés aux riches.

**DES ŒUFS POUR
LE PETIT DÉJEUNER**
Dans les îles de
l'Atlantique, les colons
vikings ramassaient des
œufs de mouettes dont
ils se nourrissaient,
sans négliger
de... faire rôtir
aussi les
mouettes.

SOULEVER UN LIÈVRE
Les Vikings chassaient les lièvres
sauvages. Bœuf, porc, agneau,
poulet fournissaient la viande
la plus courante. Considéré
comme un luxe, le gibier
était réservé à des occasions
particulières.

BULBE D'AIL
Comme dans la cuisine
moderne, les Vikings
assaisonnaient les ragoûts
et les soupes avec de l'ail
et des oignons.

*Chaîne de
suspension*

CHAUDRON
La nourriture était préparée
autour du foyer situé au milieu
de la pièce centrale. La viande était
cuite en ragoût dans d'énormes
récipients, les chaudrons, qui étaient
en fer ou en stéatite. On les suspendait
au-dessus du feu par une chaîne reliée
à la poutre du toit, ou bien on les posait
sur un trépied, comme celui du navire
d'Oseberg.

Poignée en fer

PRIS AU VOL
On chassait le gibier à
plume, tel le canard,
avec des flèches
courtes, ou bien on
l'attrapait au
collet.

Fraise des bois

Mûre

*Une des trois
jambes du trépied*

BAIES SAVOUREUSES
On cueillait les baies et les fruits
sauvages tels que les pommes,
les cerises et les prunes. Les
Vikings entretenaient des
vergers, ce qui ne les
empêchait pas de
ramasser des fruits
sauvages dans
la forêt.

*Trou laissé
par la pièce*

Vieille fêlure

*Posé par terre, le
chaudron restait stable
grâce à ses pieds.*

Chaudron en fer

DANS LES CUISINES
Sur ce détail de la Tapisserie
de Bayeux (p. 10), deux
cuisiniers normands mettent un
chaudron à chauffer sur le feu. Sur
la gauche, un troisième homme
retire avec une fourchette à deux
dents de gros morceaux de viande
d'une poêle posée sur une plaque.

RAPIÉCÉ
Fêlé, ce pot
en argile allant
au four avait été
réparé par une pièce
dont il ne reste plus
que les trous de fixation.

LES ANIMAUX, DU MONDE SAUVAGE À LA LÉGENDE

Ours, loups, visons, renards, cerfs et sangliers, tels sont les animaux qui hantaient les sombres forêts de Norvège et de Suède. Baleines, loutres, phoques, morses et rennes vivaient dans le Grand Nord. Les oiseaux de mer affluaient le long des côtes, le gibier à plume dans les terres intérieures. Les Vikings chassaient la plupart de ces animaux pour leur chair mais utilisaient plumes, fourrures, peaux pour les vêtements et la literie, gardant les os et les défenses pour la fabrication de bijoux, d'outils et d'ustensiles. Nombre de ces objets étaient ensuite exportés (pp. 26-27). L'art et les légendes vikings regorgent aussi de bêtes sauvages mais celles qui ornent les bijoux, les outils ou les armes, sont transformées en créatures fantastiques, mues par d'étranges contorsions jusqu'à former des motifs ornementaux aussi divers et étranges qu'exubérants.

OURS BRUN
Avec la peau de l'ours on faisait des vestes et des capes, et l'on portait les griffes et les dents en pendentif. Les guerriers espéraient ainsi s'approprier la force et le courage de l'animal (p. 14).

ANIMAL DE BRONZE
Cette tête d'animal féroce est une applique de bride (attachée à la têtière) provenant d'un harnais de cheval, et servait sans doute à effrayer l'ennemi autant qu'à protéger le cheval et le chariot.

UN ANIMAL FABULEUX
Cette fibule norvégienne a l'aspect d'un animal sinueux comme un serpent. Tel un fin ruban, elle s'enroule sur elle-même, s'enchevêtrant en un motif fabuleux. Elle appartient à l'un des styles ornementaux vikings dit d'Urnes, du nom du lieu où l'on découvrit en Norvège, dans une église, des sculptures en bois.

Tête d'animal

AFFAIRE DE MÂLES
Elans, cerfs et rennes possèdent tous de grandes ramures. Les artisans les sciaient puis les sculptaient en forme de peigne, ou d'étrille. La peau de cerf servait à confectionner des vêtements et, peut-être aussi, des tentures.

Bronze coulé dans un moule

Chouette

Oiseau de proie

Vermeil

FIBULE ORNÉE D'OISEAUX
Cette broche fut découverte dans la tombe d'une femme, à Birka, en Suède. C'était originellement une boucle de ceinture portée par une personne vivant en Europe de l'Est, près de la Volga (pp. 18-19). Un Viking la rapporta en Suède où un joaillier la transforma en fibule. Les oiseaux qui la décorent sont assez réalistes et faciles à identifier ; un artisan viking en aurait probablement fait des créatures fantastiques.

Fibule ajourée

UNE « BÊTE AGRIPPEUSE »
Cette bête qui se contorsionne devint populaire dans l'art viking du IXe siècle. D'un air espiègle, elle s'enroule et se tord sur elle-même, au point de pouvoir attraper ses mollets en même temps que son cou.

Bête provenant d'une broche danoise du IXe siècle

A la différence des cerfs, qui perdent leurs cornes chaque année, les moutons ont des cornes qui croissent avec l'âge.

Chacune des cornes d'un vieux bélier (mâle non castré) du Manx Loughtan peut peser 350 g et atteindre 45 cm de longueur.

LE SORTILÈGE DU SERPENT
Les serpents, répandus en pays vikings, étaient très présents dans les poèmes et les sagas (p. 55). Celui-ci, en argent, servait de fétiche ou d'amulette à une Suédoise qui le portait en pendentif.

UNE COUPE CAROLINGIENNE
Dans certaines régions, les animaux réalistes constituaient la base de l'ornementation artisanale. Cette coupe, fabriquée au sud de la Scandinavie, sous l'Empire carolingien, est en vermeil. Elle est ornée d'un motif ressemblant à un taureau et entourée symétriquement de feuilles d'acanthe. Elle fut sans doute achetée ou prise lors d'un pillage car on l'a retrouvée, ainsi qu'un tour de cou en argent (p. 47) et un pendentif en or (p. 46), dans un trésor viking découvert à Halton Moor, en Angleterre.

UN LOUP SOLITAIRE
Le loup rôdait dans les montagnes de Scandinavie, terrorisant la population par ses hurlements. La légende viking *Ragnarok*, « Le Destin des dieux », rapporte que le dieu Odin fut englouti par le loup Fenrir (p. 53).

CASQUE À CORNES
Le mouton du Manx Loughtan nous vient de l'ère viking. Il vit aujourd'hui uniquement sur l'île de Man, située entre l'Angleterre et l'Irlande et qui fut colonisée par les Vikings au IXe siècle. On l'élevait dans tout le monde viking. Dans les régions montagneuses, les bergers emmenaient leurs troupeaux passer la chaude période d'été dans les hauts pâturages. Le mouton perdait sa laine naturellement, aussi n'était-il pas besoin de le tondre. Il avait deux, quatre, voire six cornes.

ILS TRAVAILLAIENT LA TERRE

La plupart des Vikings étaient fermiers mais l'aridité des sols, la rudesse du climat et des conditions de vie pénibles faisaient que nombre d'entre eux s'embarquaient pour de lointaines destinations, comme l'Islande où ils espéraient trouver des sols productifs et des terres pour les animaux et les cultures. Moutons, vaches, cochons, chèvres, chevaux, volailles étaient destinés à la consommation, tout comme le lait de vache, de chèvre et de brebis dont on faisait aussi du beurre et du fromage. Les fermes possédaient des étables ou des granges pour loger le bétail en hiver, dont une grande partie mourait, de froid ou d'inanition. Les riches fermiers construisaient de grandes étables destinées à des centaines de bestiaux, et la fortune d'un homme s'évaluait souvent à l'importance de son bétail.

CISAILLE
Avec ce type de cisailles en fer les Vikings tondaient les moutons, taillaient les étoffes ou même se faisaient la barbe.

LA FERME DE JAREHOF
Voici les ruines d'une ferme du IXe siècle, située sur les îles Shetland, et qui était composée de deux pièces, d'une longue salle centrale et d'une cuisine. Les fermiers s'asseyaient ou dormaient sur des sortes de banquettes en terre qui couraient le long des murs.

Epaisse toison que l'on tond une fois par an, au printemps.

Deux lames de faucille

RENNE À TRAIRE
Sur cette gravure suédoise du XVIe siècle, une femme trait un renne. Dans le Grand Nord, les fermiers élevaient des rennes aussi bien pour le lait et la chair que pour la peau. La chasse au renne se pratiquait aussi au Groenland (pp. 20-21).

MOUTON NOIR
Les Vikings élevaient des moutons des Hébrides. Tout comme ceux du Manx Loughtan, ils perdaient leur laine si bien qu'on n'avait pas besoin de les tondre. Très vigoureux, ils survivaient même si la végétation était pauvre.

Soc d'araire

DES OUTILS POUR LA MOISSON
La terre était labourée au printemps avec un araire, ou charrue simple. On coupait les épis avec des faucilles au manche en bois dont on aiguisait les lames avec des pierres à aiguiser.

LABOURER ET SEMER
Ce détail de la Tapisserie de Bayeux (p. 10) représente les Normands en train de labourer (au fond sur la gauche) et de semer (sur la droite) comme le faisaient les Vikings.

LE POUVOIR DE LA FARINE
On moulait le grain en farine
avec une meule en pierre. Celle-ci
provient d'une ferme viking
de Ribblehead, dans le Yorkshire, en
Angleterre. Placé sur une pierre, le grain était
recouvert par la meule que l'on tournait à l'aide d'une
poignée. Les riches Vikings préféraient la farine fine,
moulue avec des meules en lave, importées de Rhénanie,
en Allemagne.

*Meule
mobile*

*Pierre
du dessous fixe*

Gerbes
et grains
d'épeautre

GRAINS
L'épeautre est
une sorte de blé
rustique. Les
Vikings cultivaient
également de l'orge
et du maïs.

Blé moulu

LA VACHE À LONGUES CORNES
L'élevage de bovins comme celui-ci était très répandu
dans le monde viking. Comme on a créé de nos jours de
nouvelles espèces, ces bovins à longues cornes ne
subsistent que dans des fermes spécialisées. Les Vikings
ne tiraient pas seulement du lait ou de la viande de leurs
animaux domestiques : ils utilisaient la laine du mouton,
le cuir du bétail et les plumes de la volaille pour
confectionner vêtements ou literie. Creuses, les cornes
du bétail convenaient fort bien à la fabrication de
récipients pour boire ; on les posait, étant donné leur
forme, sur des supports. On sculptait des manches
de couteaux, des peignes, des épingles,
des aiguilles et même des bijoux dans les os
d'animaux.

LE SKI EST AUSSI UN MOYEN DE LOCOMOTION

En Scandinavie presque tout le relief est accidenté et montagneux. Les grands lacs, les forêts et les marécages rendent les déplacements difficiles, surtout par mauvais temps. Les Vikings utilisaient les bateaux autant qu'ils le pouvaient. Il était souvent plus facile de voyager sur terre en hiver, lorsque la neige recouvrait les irrégularités du sol et que la glace figeait les divers lacs et rivières. Les Vikings se déplaçaient sur des traîneaux, des skis, des patins ou, en cas de neige lourde, sur des raquettes. Les grands traîneaux étaient tirés par des chevaux dont les sabots ferrés avec des crampons de fer empêchaient qu'ils ne glissent sur la glace. En été, les Vikings voyageaient à cheval, dans des chariots tirés par des chevaux ou des bœufs, ou à pied. Les routes passaient dans les hautes terres pour contourner les fleuves dont la traversée aurait été périlleuse. Le premier pont scandinave fut construit en bois, près de Jelling, au Danemark.

BIEN SOIGNÉES
Un chariot de bois complet fut découvert dans le navire-sépulture d'Oseberg (pp. 54-57). Il s'agit du seul exemplaire connu de l'époque viking. Sa surface est couverte de sculptures, dont quatre têtes d'homme, qui tous portent une barbe et une moustache fort bien soignées.

UNE BONNE ACTION
Les Vikings chrétiens pensaient qu'en bâtissant des routes et des ponts ils favoriseraient la montée de leur âme au ciel. Cette chaussée fut construite à Täby, en Suède, par Jarlebank (p. 59) qui célébra lui-même sa bonne action sur une pierre runique.

Patin en os de York, en Angleterre

Gravure du XVIᵉ siècle représentant un couple de Suédois skiant et portant leurs enfants sur le dos

MONTER À CHEVAL
Les Vikings étaient d'excellents cavaliers. Cette figurine d'argent provient de Birka, en Suède, et date du Xᵉ siècle. Le cavalier, probablement un guerrier, porte une épée.

PATINS EN OS
Le mot « ski » est norvégien. Les gravures préhistoriques sur rochers, en Norvège, sont la preuve qu'on skiait ici depuis au moins 5 000 ans. Les Vikings utilisaient donc bien des skis quoiqu'on n'en ait retrouvé aucun exemplaire. Des patins ont été découverts un peu partout dans le Nord. Fabriqués avec des os de pattes de cheval, ils étaient attachés sous des bottes en cuir. Le patineur se propulsait avec un bâton de fer pointu semblable à un bâton de ski.

Corps du traîneau en hêtre, orné de clous en fer à tête d'étain

Une des quatre gueules d'animaux

TRAÎNEAU
Celui-ci est l'un des trois magnifiques traîneaux de la sépulture d'Oseberg (pp. 54-57). De superbes ornementations sont gravées sur les patins incurvés et, aux quatre coins du coffre ouvert, solidement fixées sur le dessus, grimacent des gueules de bêtes féroces.

Patin en chêne recourbé

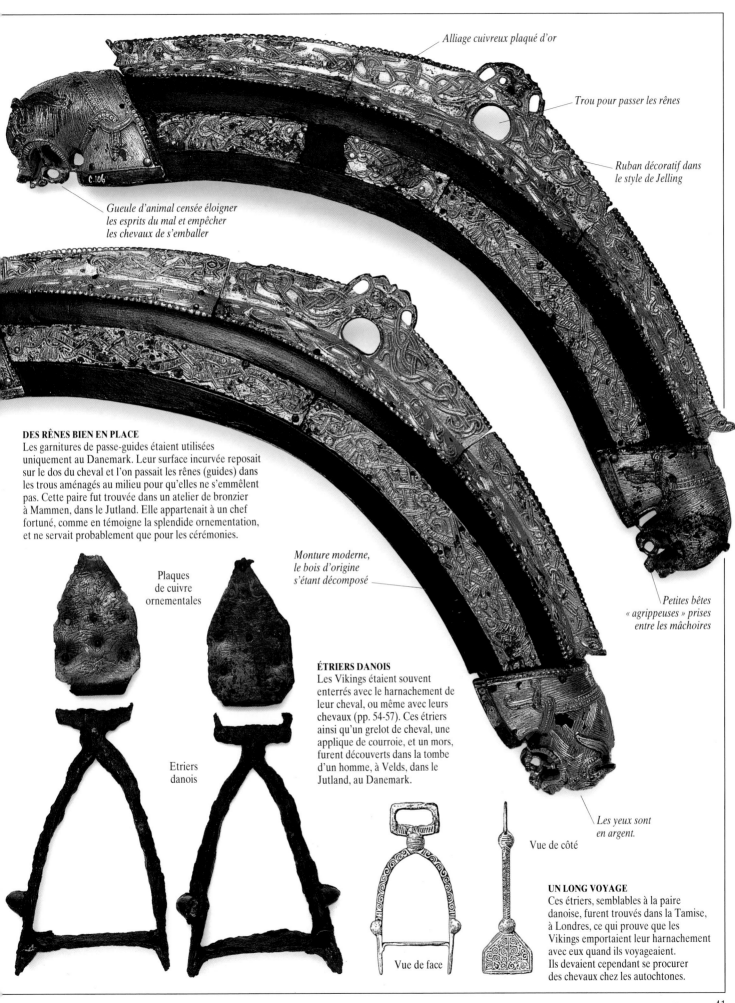

Alliage cuivreux plaqué d'or

Trou pour passer les rênes

Ruban décoratif dans le style de Jelling

Gueule d'animal censée éloigner les esprits du mal et empêcher les chevaux de s'emballer

DES RÊNES BIEN EN PLACE
Les garnitures de passe-guides étaient utilisées uniquement au Danemark. Leur surface incurvée reposait sur le dos du cheval et l'on passait les rênes (guides) dans les trous aménagés au milieu pour qu'elles ne s'emmêlent pas. Cette paire fut trouvée dans un atelier de bronzier à Mammen, dans le Jutland. Elle appartenait à un chef fortuné, comme en témoigne la splendide ornementation, et ne servait probablement que pour les cérémonies.

Monture moderne, le bois d'origine s'étant décomposé

Petites bêtes « agrippeuses » prises entre les mâchoires

Plaques de cuivre ornementales

Etriers danois

ÉTRIERS DANOIS
Les Vikings étaient souvent enterrés avec le harnachement de leur cheval, ou même avec leurs chevaux (pp. 54-57). Ces étriers ainsi qu'un grelot de cheval, une applique de courroie, et un mors, furent découverts dans la tombe d'un homme, à Velds, dans le Jutland, au Danemark.

Les yeux sont en argent.

Vue de côté

UN LONG VOYAGE
Ces étriers, semblables à la paire danoise, furent trouvés dans la Tamise, à Londres, ce qui prouve que les Vikings emportaient leur harnachement avec eux quand ils voyageaient. Ils devaient cependant se procurer des chevaux chez les autochtones.

Vue de face

41

FORGERONS, ORFÈVRES ET GRAVEURS

Par leur habileté à fabriquer des armes solides et des navires rapides les artisans ont largement contribué aux succès des Vikings. Le plus respecté d'entre eux était l'armurier qui savait forger des épées, des lances et des haches acérées (pp. 14-15). Les forgerons, qui créaient également des outils en fer pour travailler le bois et le métal, avaient mis au point des techniques très élaborées de façonnage et d'ornementation des métaux. Ils produisaient enfin des objets usuels tels que des serrures, des clefs, des marmites, ou des rivets de fer pour les navires. L'art des charpentiers vikings, qui construisaient toutes sortes d'objets, dont les navires, n'était pas moindre. Ils savaient choisir avec une grande précision le bois correspondant à tel usage ou tailler le bois de construction de manière à lui donner le maximum de force et de souplesse. Ils décoraient de nombreux objets en les gravant ou en les peignant en de vives couleurs.

Racloir en fer conçu pour ciseler des rainures ou des motifs sur des planches

Motifs en forme de cœur exécutés avec un fil d'or torsadé

Une des trois boucles en forme de cœur faite avec un galon de fils d'or torsadés

Cisaille plate pour couper le métal

Grenaille d'or

Ornementation en forme de plante illustrant l'influence de l'Europe occidentale, mais la technique, elle, est purement scandinave.

MOULAGE EN OR
Cette fibule en or provenant de Hornelund, au Danemark, fut fabriquée à partir d'une matrice en plomb que le joaillier imprima sur une feuille d'or pour créer le modèle. Puis il décora la surface avec un fil et des perles d'or. Seuls les chefs fortunés ou les rois avaient les moyens de s'offrir une fibule de cette valeur.

Matrice en plomb provenant de Viborg, au Danemark, que l'on utilise pour fabriquer des fibules en métaux précieux, comme la fibule de Hornelund.

Pince de forgeron pour maintenir le métal chauffé sur l'enclume

FABRIQUER DES DRAGONS
Le bronze était chauffé dans un creuset posé sur un feu, jusqu'à ce qu'il fonde. Puis le forgeron le versait dans un moule en pierre. Une fois le métal refroidi, il ciselait la forme voulue, ici une fine tête de dragon avec une crinière bouclée, qui orna sans doute une boîte fantaisie. Les moules de pierre tels que celui-ci servaient plusieurs fois et furent utilisés pour couler nombre de fibules et d'épingles de robes (pp. 48-49).

Coulage moderne

Ce moule en pierre, permettant de couler une gueule de dragon en bronze, provient de Birka, en Suède

Fer de marteau léger

Fer de marteau lourd

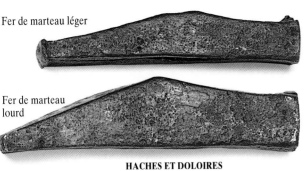

HACHES ET DOLOIRES
Le charpentier abattait les arbres et élaguait les branches avec une hache puis il taillait et rabotait les planches avec une hache en forme de T (p. 15). La doloire, dont le manche forme un angle droit avec la lame, était un outil de charpentier qu'il utilisait pour équarrir un rondin dont il décapait la surface.

Trou pour enfiler un manche en bois

Tête de doloire

FORGER UNE ÉPÉE
Cette sculpture, datant du XIIe siècle, provient du porche d'une église de Hylestad, en Norvège (p. 53) et représente Regin le forgeron forgeant une épée pour le héros Sigurd. Avec une paire de pinces il maintient sur l'enclume un morceau de fer chauffé, tout en martelant le métal pour modeler l'épée. En face de lui, un homme attise le feu de la forge avec un soufflet.

MARTEAUX
Le poids des marteaux variait selon leur emploi : le plus lourd était destiné à souder et forger les épées, le plus léger était conçu pour les travaux délicats comme le modelage des fils.

Petite pointe amovible

Abattage d'un arbre à la hache

Grande pointe amovible pour percer de larges trous

CONSTRUIRE UN NAVIRE
La Tapisserie de Bayeux (p. 10) illustre les étapes de la construction d'un navire, depuis l'abattage des arbres jusqu'au navire achevé. Ici, un homme taille un arbre pendant qu'un autre fend le tronc, avec une hache en forme de T, pour obtenir des planches. Ci-dessous, les planches sont assemblées puis rivetées et poncées par un charpentier, tandis qu'un autre perce des trous avec un foret ou une vrille, en appuyant sur l'extrémité de l'outil.

Le charpentier tournait le manche en forme de T pour percer des trous.

Il s'agit d'un bois récent, le bois d'origine s'étant décomposé.

DES OUTILS DE FORGERON
Les outils présentés sur ces deux pages ne sont qu'une partie d'un énorme trésor renfermé dans un coffre découvert à Mästermyr, sur l'île de Gotland, en Suède. Le propriétaire était un forgeron, qui fabriquait des marmites et des serrures à partir de feuilles de métal, coulait, soudait et décorait le bronze. Il était à la fois constructeur de navire, menuisier et charron. Il a probablement réalisé ce coffre à outils en bois.

L'arrière donne un surcroît de force.

UN OUTIL DE FORAGE
Ce foret, ou vrille, présente cinq pointes de différentes tailles, et servait à percer des trous dans les planches, notamment pour les rivets qui maintiennent les bordés du navire.

SCIE À MÉTAUX
En fait, on l'utilisait surtout pour tailler dans le bois, la corne ou l'os, les dents des peignes.

Soie, pointe qui s'insère dans un manche en bois

UNE SCIE À BOIS
Cette large scie suffisait pour scier de petites longueurs de bois destinées à la fabrication des seaux, des boîtes ou des meubles.

Lame dentée en fer

Extrémité taillée de sorte que le charpentier puisse appuyer de toutes ses forces

Poignée en bois

Coiffe en lin

UN MÉTIER À TISSER DANS CHAQUE FOYER

Les femmes vikings filaient la laine ou le lin qu'elles tissaient ensuite sur un métier vertical, posé contre un mur, et dont chaque maison était pourvue. Elles taillaient les vêtements de tous les jours, très simples, parfois même non teints. Les tuniques d'homme et les robes de femme s'ornaient de broderies aux dessins géométriques, aux couleurs vives ou faites de fils d'or ou d'argent. La soie, plus exotique, était importée de contrées lointaines et utilisée pour des coiffes ou des garnitures de veste (sur les bords ou en brassards). Des parements de fourrure, vraie ou fausse, embellissaient capes et manteaux.

Pièce de
bois conique
(fusaïole)

OUTILS DE FILAGE
Le fuseau est une baguette en bois poli alourdie par un poids conique taillé dans l'argile, l'os ou la pierre. Il déterminait la qualité du filage. La tisserande utilisait des peignes pour carder les fibres et faire des ajustages précis sur l'étoffe tissée.

Peigne   Fuseau

Laine
étendue
et filée

Soie brune

Laine
écrue

Femme du Moyen Age filant
de la laine avec une
quenouille et un fuseau

Laine filée

UN BON FILÉ
La tisserande attache au fuseau l'extrémité d'une fibre de laine cardée, puis fait tourner celui-ci comme une toupie jusqu'à ce qu'il touche le sol. Elle enroule alors le fil obtenu autour du corps du fuseau et recommence l'opération.

Fuseau   Broderie en or

Laine écrue, cardée

VÊTEMENTS D'APPARAT
On a découvert dans une sépulture de Mammen, au Danemark, des fragments de vêtements ayant appartenu à un seigneur. Ce tissu de soie brodé de lisérés d'or correspond à l'extrémité d'un galon qui servait probablement à attacher une cape. La cape elle-même et la chemise du défunt étaient ornées de motifs animaliers et de visages humains. La tombe contenait aussi la superbe hache de Mammen.

Panier
en rotin

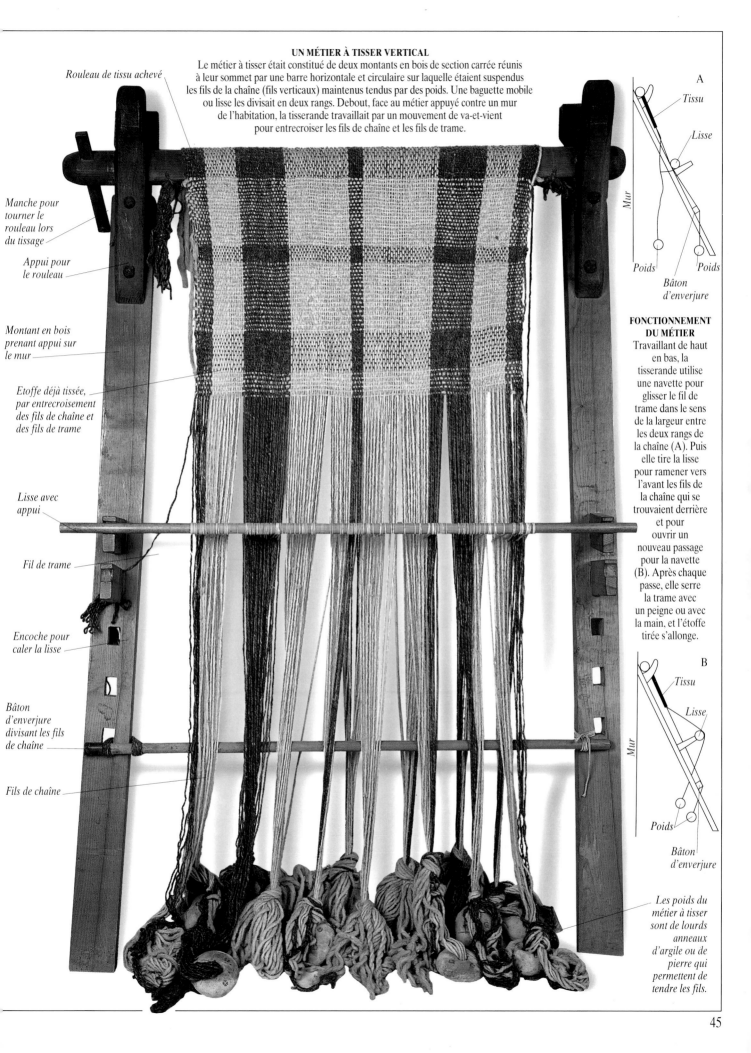

UN MÉTIER À TISSER VERTICAL

Le métier à tisser était constitué de deux montants en bois de section carrée réunis à leur sommet par une barre horizontale et circulaire sur laquelle étaient suspendus les fils de la chaîne (fils verticaux) maintenus tendus par des poids. Une baguette mobile ou lisse les divisait en deux rangs. Debout, face au métier appuyé contre un mur de l'habitation, la tisserande travaillait par un mouvement de va-et-vient pour entrecroiser les fils de chaîne et les fils de trame.

Rouleau de tissu achevé

Manche pour tourner le rouleau lors du tissage

Appui pour le rouleau

Montant en bois prenant appui sur le mur

Etoffe déjà tissée, par entrecroisement des fils de chaîne et des fils de trame

Lisse avec appui

Fil de trame

Encoche pour caler la lisse

Bâton d'enverjure divisant les fils de chaîne

Fils de chaîne

A

Tissu

Lisse

Mur

Poids   *Poids*

Bâton d'enverjure

FONCTIONNEMENT DU MÉTIER

Travaillant de haut en bas, la tisserande utilise une navette pour glisser le fil de trame dans le sens de la largeur entre les deux rangs de la chaîne (A). Puis elle tire la lisse pour ramener vers l'avant les fils de la chaîne qui se trouvaient derrière et pour ouvrir un nouveau passage pour la navette (B). Après chaque passe, elle serre la trame avec un peigne ou avec la main, et l'étoffe tirée s'allonge.

B

Tissu

Lisse

Mur

Poids

Bâton d'enverjure

Les poids du métier à tisser sont de lourds anneaux d'argile ou de pierre qui permettent de tendre les fils.

45

HOMMES ET FEMMES SE PARENT DE BIJOUX

Les Vikings raffolaient d'ornements chatoyants. Leurs orfèvres étaient habiles à créer des bijoux somptueusement décorés mais savaient également intégrer dans leur art les modes étrangères. Les hommes aussi bien que les femmes portaient broches, colliers ou tours de bras (tels que les bracelets). Les bijoux en or ou en argent étaient signes de fortune ou de prestige. Il arrivait ainsi qu'après un raid victorieux le roi récompense le courage d'un guerrier en lui offrant un objet précieux. Si le bronze, ou même l'étain (alliage de cuivre et de métaux), brillait d'un moindre éclat que l'or, il était aussi moins coûteux. Quant aux Vikings les plus pauvres, ils fabriquaient pour leur propre usage des épingles ou des fermoirs fort simples, à partir d'os d'animaux. Avec le verre coloré, le jais ou l'ambre ils faisaient des pendentifs, des perles et des colliers.

PENDENTIF EN OR
Les femmes accrochaient des pendentifs à leurs colliers. Cette mince pièce estampée d'or, provenant d'un trésor découvert à Halton Moor (p. 49), est une bractéate, sorte de pendentif.

Des milliers de fils d'argent très fins sont assemblés comme dans une cotte de mailles.

TOUR DE BRAS EN ARGENT
Ce bracelet en argent massif, qui devait être lourd pour le poignet, fut trouvé à Fyn au Danemark. Il est décoré d'un profond relief en courbe, de poinçons en forme de minuscules anneaux et de lignes en pointillés. Au centre, quatre rangs de perles paraissent avoir été ajoutés ultérieurement bien que le bijou provienne d'un seul et même moule.

RECYCLAGE
Ce bracelet en or fut fabriqué en Irlande. Même lorsqu'ils s'établissaient à l'étranger, les Vikings conservaient leurs modes. A la recherche de métaux précieux, ils pillèrent de nombreux monastères irlandais, n'hésitant pas à arracher les garnitures d'or ou d'argent des livres et des objets sacrés. Ces métaux seront plus tard coulés par les forgerons et transformés en bijoux.

Gueule d'animal

Fils d'or, d'épaisseur différente, torsadés

UN SERPENT D'ARGENT
Portés parfois très haut sur le bras, ces bracelets en forme de spirale furent importés de la région de la Volga, en Russie. On n'en trouvait qu'au Danemark. Cet élégant bijou d'argent, découvert près de Vejle, dans le Jutland (Danemark), représente un serpent prêt à piquer.

Le relief en creux est souligné par du nielle (émail noir).

DANS TOUTE SA SPLENDEUR
Ce robuste Viking, dont les biceps sont comprimés par des bracelets circulaires en forme de serpent, arbore en plus toutes sortes de bijoux.

LE MARTEAU DE THOR...
Les Vikings portaient le marteau de Thor (pp. 7 et 53), comme la croix chrétienne, en pendentif. Celui-ci est accroché à un anneau que mordent deux gueules d'animaux aux deux bouts de la chaîne.

... ET UNE CROIX
Cette croix chrétienne en argent, ornée d'un motif feuillu ajouré, et sa chaîne furent découvertes à Bonderup, au Danemark. Elles datent probablement de l'an 1050.

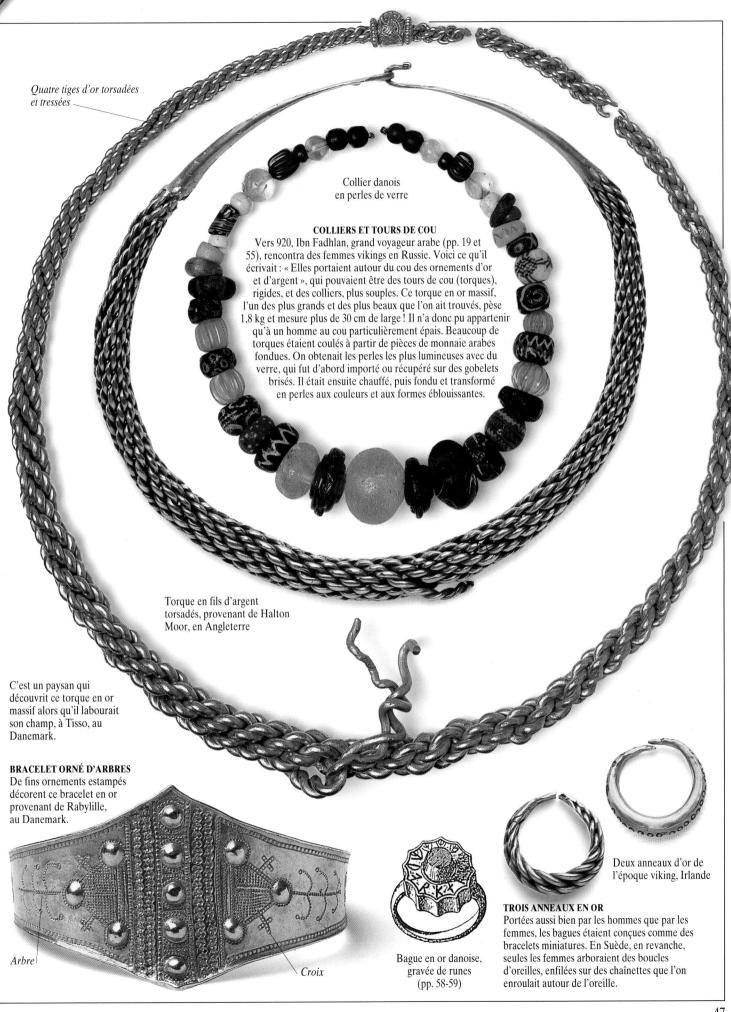

Quatre tiges d'or torsadées et tressées

Collier danois
en perles de verre

COLLIERS ET TOURS DE COU

Vers 920, Ibn Fadhlan, grand voyageur arabe (pp. 19 et 55), rencontra des femmes vikings en Russie. Voici ce qu'il écrivait : « Elles portaient autour du cou des ornements d'or et d'argent », qui pouvaient être des tours de cou (torques), rigides, et des colliers, plus souples. Ce torque en or massif, l'un des plus grands et des plus beaux que l'on ait trouvés, pèse 1,8 kg et mesure plus de 30 cm de large ! Il n'a donc pu appartenir qu'à un homme au cou particulièrement épais. Beaucoup de torques étaient coulés à partir de pièces de monnaie arabes fondues. On obtenait les perles les plus lumineuses avec du verre, qui fut d'abord importé ou récupéré sur des gobelets brisés. Il était ensuite chauffé, puis fondu et transformé en perles aux couleurs et aux formes éblouissantes.

Torque en fils d'argent
torsadés, provenant de Halton
Moor, en Angleterre

C'est un paysan qui découvrit ce torque en or massif alors qu'il labourait son champ, à Tisso, au Danemark.

BRACELET ORNÉ D'ARBRES
De fins ornements estampés décorent ce bracelet en or provenant de Rabylille, au Danemark.

Arbre

Croix

Bague en or danoise,
gravée de runes
(pp. 58-59)

Deux anneaux d'or de
l'époque viking, Irlande

TROIS ANNEAUX EN OR
Portées aussi bien par les hommes que par les femmes, les bagues étaient conçues comme des bracelets miniatures. En Suède, en revanche, seules les femmes arboraient des boucles d'oreilles, enfilées sur des chaînettes que l'on enroulait autour de l'oreille.

LES BROCHES

Décorés abondamment, les fermoirs et broches n'étaient pas qu'ornementaux et permettaient aussi d'attacher les vêtements : les femmes retenaient les pans de leur robe-chasuble avec deux broches ovales ou fibules. Les hommes fixaient leur cape à l'aide d'une seule fibule épinglée sur l'épaule droite, laissant ainsi le bras droit, celui qui tient l'épée, libre de ses mouvements. Certains styles de fibules, ovales ou en forme de trèfle, étaient très répandus dans l'ensemble du monde viking alors que d'autres, telles les fibules gotlandaises en forme de boîtes, n'étaient appréciées que dans quelques régions.

Tête en or plaqué

Cheveux

Barbe

Longue moustache

Une des quatre figures humaines accroupies, en or plaqué

Fibule de bronze en forme de boîte, provenant du Gotland

Oreilles

Anneau et épingle en étain

TÊTES D'HOMMES

Les trois pointes de cette fibule de Hom (Danemark) sont décorées d'une tête d'homme aux yeux écarquillés et ornée d'une barbe soignée et d'une longue moustache. Ce type de fibules fut d'abord fabriqué dans les îles Britanniques, puis par les Vikings eux-mêmes qui les appréciaient beaucoup.

UNE FIBULE EN FORME DE BOÎTE

Ces fibules étaient taillées comme des tambours. La somptueuse fibule (ci-contre à gauche), trouvée à Martens, dans l'île de Gotland (Suède), attachait la cape d'une riche Suédoise. Faite, à la base, de bronze moulé, elle est recouverte d'or et d'argent rutilants.

Gueule d'un animal aux formes serpentines

Gueule de la bête « agrippeuse »

La fibule de Martens, en forme de boîte, vue du dessus

Vue de face

Vue de derrière avec épingle mobile

EN FORME DE TRÈFLE

Aux IXe et Xe siècles, les femmes vikings attachaient leurs châles avec ces fibules trilobées. Le style ornemental de ces broches fut importé de l'Empire carolingien, qui recouvrait la France et l'Allemagne actuelles, par le sud de la Scandinavie. Les femmes pauvres se contentaient de fibules en étain ou en bronze, fabriquées en série, l'or ou l'argent étant réservés aux bijoux les plus précieux.

BÊTES « AGRIPPEUSES »

Cette fibule en argent représente quatre bêtes « agrippeuses » (p. 39) enchevêtrées. Elle fut découverte à Hunderup, sur le site de Nonnebaken, une des grandes places fortes vikings, au Danemark.

URNES ENCORE

Le long animal sinueux se contorsionne et s'enroule en de vigoureuses spirales (p. 38) sur cette fibule de bronze du XIe siècle caractéristique du style d'Urnes trouvée à Roskilde, au Danemark.

LA FIBULE DE PITNEY

Le style d'Urnes était très répandu en Grande-Bretagne et en Irlande, sous le règne de Knut le Grand (1016-1035). Cette très belle broche, caractéristique, fut trouvée à Pitney, dans le Sommerset, en Angleterre.

Longue épingle que l'on piquait dans la cape

Fibule de bronze et épingle de facture irlandaise, découvertes en Norvège

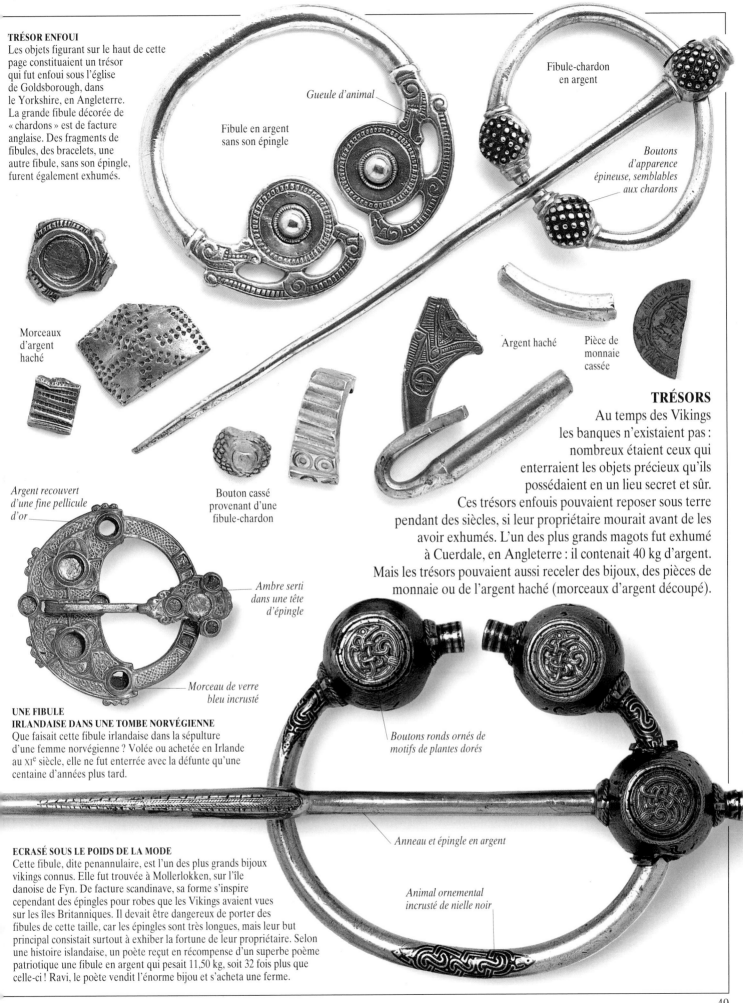

TRÉSOR ENFOUI
Les objets figurant sur le haut de cette page constituaient un trésor qui fut enfoui sous l'église de Goldsborough, dans le Yorkshire, en Angleterre. La grande fibule décorée de « chardons » est de facture anglaise. Des fragments de fibules, des bracelets, une autre fibule, sans son épingle, furent également exhumés.

Fibule en argent sans son épingle

Gueule d'animal

Fibule-chardon en argent

Boutons d'apparence épineuse, semblables aux chardons

Morceaux d'argent haché

Argent haché

Pièce de monnaie cassée

TRÉSORS
Au temps des Vikings les banques n'existaient pas : nombreux étaient ceux qui enterraient les objets précieux qu'ils possédaient en un lieu secret et sûr. Ces trésors enfouis pouvaient reposer sous terre pendant des siècles, si leur propriétaire mourait avant de les avoir exhumés. L'un des plus grands magots fut exhumé à Cuerdale, en Angleterre : il contenait 40 kg d'argent. Mais les trésors pouvaient aussi receler des bijoux, des pièces de monnaie ou de l'argent haché (morceaux d'argent découpé).

Bouton cassé provenant d'une fibule-chardon

Argent recouvert d'une fine pellicule d'or

Ambre serti dans une tête d'épingle

Morceau de verre bleu incrusté

UNE FIBULE IRLANDAISE DANS UNE TOMBE NORVÉGIENNE
Que faisait cette fibule irlandaise dans la sépulture d'une femme norvégienne ? Volée ou achetée en Irlande au XIᵉ siècle, elle ne fut enterrée avec la défunte qu'une centaine d'années plus tard.

Boutons ronds ornés de motifs de plantes dorés

Anneau et épingle en argent

ECRASÉ SOUS LE POIDS DE LA MODE
Cette fibule, dite penannulaire, est l'un des plus grands bijoux vikings connus. Elle fut trouvée à Mollerlokken, sur l'île danoise de Fyn. De facture scandinave, sa forme s'inspire cependant des épingles pour robes que les Vikings avaient vues sur les îles Britanniques. Il devait être dangereux de porter des fibules de cette taille, car les épingles sont très longues, mais leur but principal consistait surtout à exhiber la fortune de leur propriétaire. Selon une histoire islandaise, un poète reçut en récompense d'un superbe poème patriotique une fibule en argent qui pesait 11,50 kg, soit 32 fois plus que celle-ci ! Ravi, le poète vendit l'énorme bijou et s'acheta une ferme.

Animal ornemental incrusté de nielle noir

LES PLAISIRS DES JEUX ET DES FÊTES

Les fêtes étaient aussi des moments de détente. Au terme de repas copieux, les Vikings organisaient des jeux, racontaient des histoires ou écoutaient de la musique. Les rois avaient des poètes attitrés, les scaldes, qui chantaient leurs louanges et distrayaient les invités. Histoires et poèmes étaient transmis oralement de père en fils, et chacun en connaissait par cœur les épisodes les plus passionnants. Les légendes populaires, comme celle de la pêche de Thor, étaient sculptées sur de la pierre ou sur du bois (p. 58-59). Les hôtes se divertissaient aussi devant le spectacle des farces et des danses des bouffons et des jongleurs ou se retrouvaient autour de jeux de société. Ceux-ci étaient souvent fort beaux avec leurs tablettes ouvragées et leurs pions sculptés ; d'autres, plus simples, étaient gravés sur de la pierre ou du bois, des fragments de poterie ou des débris d'os pouvant servir de jetons.

COMBATS DE CHEVAUX
Ces poneys islandais se battent dans la nature. Les combats d'étalons étaient plus que de simples divertissements. Très appréciés des Vikings, qui en profitaient pour organiser des paris, ils avaient sans doute lieu lors de fêtes ou de cérémonies religieuses. Les Vikings croyaient sans doute que le cheval gagnant était le favori des dieux.

DOUCE HARPE
Dans les riches demeures, les musiciens accompagnaient les histoires et les poèmes à la harpe ou à la lyre. Les Vikings étaient aussi passionnés de chant. Les chanteurs les plus talentueux s'exhibaient lors des fêtes, et toute l'assemblée se joignait à eux pour chanter une ballade ou des chansons populaires.

Cette coiffe fut peut-être à l'origine du mythe qui veut que les Vikings portaient des casques à cornes.

On souffle par cette extrémité.

FLÛTE EN OS
Un Viking suédois fabriqua cette flûte en perçant des trous dans un os de patte de mouton. Elle fonctionne comme une flûte à bec : il suffisait de souffler dans l'une de ses extrémités et de poser ses doigts sur les trous pour produire les notes.

L'air entre par ce trou.

Les doigts recouvrent les trois trous du bas

Le son sort par cette extrémité.

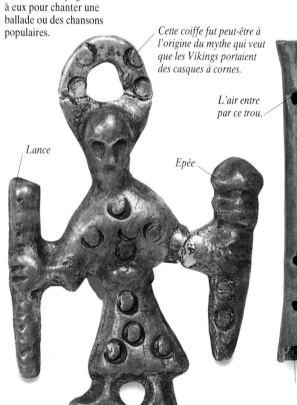

Lance

Epée

Tête sculptée

Bordure gravée, dans le style de Borre

On glissait les pièces du jeu dans les 49 trous de la tablette.

TABLETTE DE JEU DE BALLINDERRY
Le *hneftafl* était un jeu de société très populaire chez les Vikings. Avec ses huit pions le premier joueur protégeait le roi des attaques du second joueur qui, lui, possédait 16 pions. Cette tablette en bois de Ballinderry (Irlande) servait de support. Le trou placé en son centre était sans doute destiné au roi.

UN DIEU DANSANT
Cette figurine d'argent suédoise, qui tient dans une main une épée et dans l'autre un lot de lances, représente peut-être un « dieu dansant ». Il était courant de danser après les festivités ou lors des cérémonies religieuses. Certaines danses étaient lentes et gracieuses, mais pour les plus frénétiques d'entre elles, les danseurs s'agitaient violemment. Avec l'arrivée du christianisme (pp. 62-63), les prêtres tentèrent de supprimer les danses.

PIÈCES DE JEU
De simples pions ou des petites figurines humaines servaient parfois de pièces de jeu. Ce petit homme en ambre, qui tient sa barbe à deux mains, figurait peut-être le roi dans le jeu du *hneftafl*.

Pièces de jeu en ivoire de morse (Groenland)

Pièce de jeu en ambre (Roholte Danemark)

Les mains tiennent la barbe.

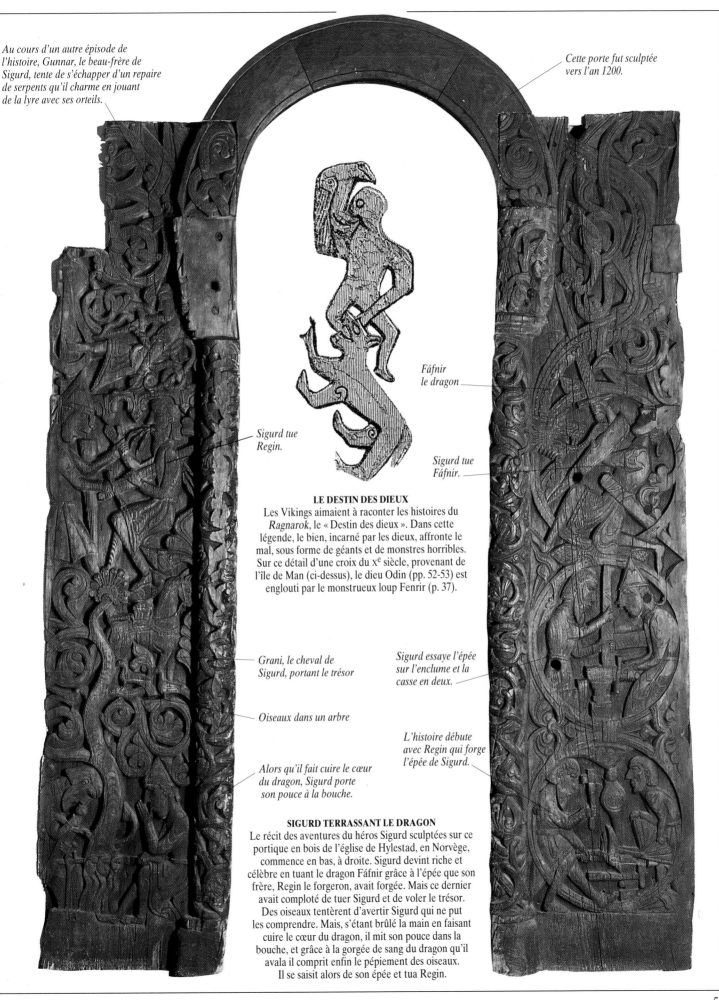

Au cours d'un autre épisode de l'histoire, Gunnar, le beau-frère de Sigurd, tente de s'échapper d'un repaire de serpents qu'il charme en jouant de la lyre avec ses orteils.

Cette porte fut sculptée vers l'an 1200.

Fáfnir le dragon

Sigurd tue Regin.

Sigurd tue Fáfnir.

LE DESTIN DES DIEUX

Les Vikings aimaient à raconter les histoires du *Ragnarok*, le « Destin des dieux ». Dans cette légende, le bien, incarné par les dieux, affronte le mal, sous forme de géants et de monstres horribles. Sur ce détail d'une croix du Xe siècle, provenant de l'île de Man (ci-dessus), le dieu Odin (pp. 52-53) est englouti par le monstrueux loup Fenrir (p. 37).

Grani, le cheval de Sigurd, portant le trésor

Sigurd essaye l'épée sur l'enclume et la casse en deux.

Oiseaux dans un arbre

L'histoire débute avec Regin qui forge l'épée de Sigurd.

Alors qu'il fait cuire le cœur du dragon, Sigurd porte son pouce à la bouche.

SIGURD TERRASSANT LE DRAGON

Le récit des aventures du héros Sigurd sculptées sur ce portique en bois de l'église de Hylestad, en Norvège, commence en bas, à droite. Sigurd devint riche et célèbre en tuant le dragon Fáfnir grâce à l'épée que son frère, Regin le forgeron, avait forgée. Mais ce dernier avait comploté de tuer Sigurd et de voler le trésor. Des oiseaux tentèrent d'avertir Sigurd qui ne put les comprendre. Mais, s'étant brûlé la main en faisant cuire le cœur du dragon, il mit son pouce dans la bouche, et grâce à la gorgée de sang du dragon qu'il avala il comprit enfin le pépiement des oiseaux. Il se saisit alors de son épée et tua Regin.

LES DIEUX SONT DES HÉROS DE LÉGENDE

Un grand nombre de dieux et de déesses, possédant chacun sa propre personnalité, à l'image des êtres humains, formait le panthéon des Vikings. Odin, Thor et Frey étaient les plus importants d'entre eux. Odin, dieu de la sagesse et de la guerre, possédait d'étranges pouvoirs surnaturels. Thor, plus proche de la réalité, jouissait d'une force étonnante mais ne brillait pas par son intelligence. Enfin, Frey, dieu de la fertilité, était généreux. Adam de Brême, un grand voyageur allemand, se rendit en 1075 à Uppsala, en Suède, et visita un temple qui renfermait les statues de ces trois dieux. Au début de l'époque viking, les cultes se tenaient en plein air, dans les bois et les montagnes, près des sources et des cascades.

Chapeau conique

Le personnage tient dans la main sa barbe, symbole de croissance.

TROIS FIGURES DIVINES
Elles représentent peut-être Odin (à gauche), Thor (au centre) et Frey (à droite). Elles appartiennent à une tapisserie du XIIᵉ siècle, provenant de l'église de Skog, en Suède.

DIVINS JUMEAUX
Frey était le dieu de la fertilité et de la renaissance. Aussi l'invoquait-on au printemps pour obtenir de bonnes récoltes ou pour bénir une union et la rendre féconde. Cette statuette, dont la hauteur ne dépasse pas 7 cm, et qui provient de Södermanland en Suède, est l'une des meilleures représentations que nous possédions de lui. Sa sœur jumelle, Freya, était la déesse de la fécondité et de l'amour. On raconte que la moitié des guerriers tués au cours d'une bataille rejoignit Freya, l'autre ralliant Odin.

UN MASQUE MONSTRUEUX
Stèles et bijoux représentaient parfois des visages effrayants. Celui-ci, avec sa longue barbe et ses yeux exorbités, provient de Arhus, au Danemark. C'était aussi bien des dieux que des êtres destinés à repousser les esprits du mal.

SES LÈVRES SONT SCELLÉES
Loki, mi-dieu, mi-diable, toujours occupé à jouer quelque mauvais tour, avait le pouvoir de se métamorphoser. La légende raconte qu'il paria avec un nain qu'il était le meilleur ferronnier. Pendant que le nain allumait le fourneau, Loki se transforma en mouche et tenta de le piquer. Le nain gagna malgré tout son pari et, pour punir Loki, il scella ses lèvres. Sur cette tuyère de forgeron on voit Loki, lèvres cousues.

Marteau de Thor danois

LE MARTEAU DE THOR
Les paysans et les fermiers vénéraient le dieu Thor. Il se déplaçait dans le ciel sur un chariot tiré par des boucs. Dieu du Tonnerre, il combattait des géants et des monstres diaboliques, qu'il frappait à mort avec son puissant marteau (p. 7).

L'ACCUEIL D'UN HÉROS
Les Valkyries étaient des femmes guerrières qui partaient sur les champs de bataille à la recherche des héros morts. Elles emmenaient ceux qui avaient péri courageusement au Valhalla, le paradis viking, où Odin les accueillait, les invitant à des festivités qui se déroulaient chaque soir dans la grande salle.

UN GÉANT PREND FEMME
Selon la légende, le géant Thrym vola le marteau de Thor et ne promit de le restituer que s'il épousait Freya. Thor revêtit la même tenue que Freya pour se rendre à la cérémonie mais il faillit se dévoiler en buvant trop ! Lorsque Thrym apporta le marteau pour bénir la mariée, Thor s'en empara et le tua ainsi que tous les géants invités.

Guerrier mort

Toit incurvé du Valhalla

Valkyrie (à gauche) et homme avec une hache (à droite)

Une valkyrie, portant une corne à boire, salue le héros mort.

Inscription runique

Héros arrivant au Valhalla sur le cheval à huit pattes, Sleipnir

LA CASCADE DES DIEUX
En Islande, les dieux étaient vénérés à Godafoss, ou « cascade des dieux ».

Voile et gréement

PEINTURES DU VALHALLA
Sur cette pierre peinte gotlandaise (p. 58), un héros arrive au Valhalla en chevauchant Sleipnir, le cheval à huit pattes du dieu Odin. Une valkyrie lève une corne à boire en son honneur. Sous le toit incurvé du Valhalla, une autre valkyrie tend une corne à boire à un homme portant une hache et accompagné d'un chien.

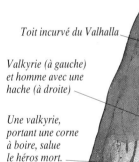

DES LARMES EN OR
Freya épousa un dieu nommé Od, qui la délaissa. Sur cette peinture romantique, elle part à sa recherche dans le ciel, sur un chariot tiré par des chats.

Navire chargé de guerriers armés

53

LES SÉPULTURES PRENNENT AUSSI LE LARGE

Avant le début du christianisme, les Vikings enterraient leurs morts avec tout ce dont ils pouvaient avoir besoin dans l'autre monde. Très variées, les cérémonies traditionnelles suivaient un déroulement qui reste encore, pour beaucoup, mystérieux. Les seigneurs ou les reines les plus fortunés étaient ensevelis dans des navires censés les emporter vers l'au-delà et remplis de leurs biens personnels : vêtements, armes aussi bien que nourriture et mobilier. On tuait des chevaux, des chiens, ou même des serviteurs que l'on déposait à côté du défunt. Les navires étaient ensuite recouverts d'un monticule de terre ou brûlés sur un bûcher funéraire. Plus couramment, on enterrait les morts dans des chambres souterraines situées sous des tumulus funéraires. Les paysans pauvres étaient enterrés avec leur épée ou leur fibule favorites.

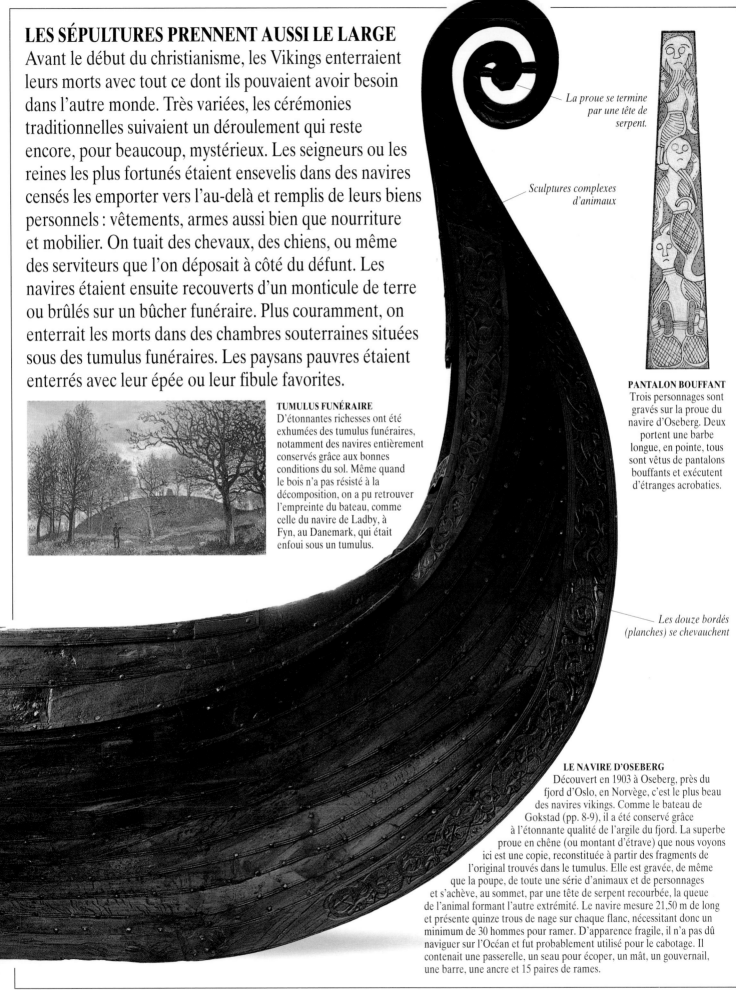

La proue se termine par une tête de serpent.

Sculptures complexes d'animaux

TUMULUS FUNÉRAIRE
D'étonnantes richesses ont été exhumées des tumulus funéraires, notamment des navires entièrement conservés grâce aux bonnes conditions du sol. Même quand le bois n'a pas résisté à la décomposition, on a pu retrouver l'empreinte du bateau, comme celle du navire de Ladby, à Fyn, au Danemark, qui était enfoui sous un tumulus.

PANTALON BOUFFANT
Trois personnages sont gravés sur la proue du navire d'Oseberg. Deux portent une barbe longue, en pointe, tous sont vêtus de pantalons bouffants et exécutent d'étranges acrobaties.

Les douze bordés (planches) se chevauchent

LE NAVIRE D'OSEBERG
Découvert en 1903 à Oseberg, près du fjord d'Oslo, en Norvège, c'est le plus beau des navires vikings. Comme le bateau de Gokstad (pp. 8-9), il a été conservé grâce à l'étonnante qualité de l'argile du fjord. La superbe proue en chêne (ou montant d'étrave) que nous voyons ici est une copie, reconstituée à partir des fragments de l'original trouvés dans le tumulus. Elle est gravée, de même que la poupe, de toute une série d'animaux et de personnages et s'achève, au sommet, par une tête de serpent recourbée, la queue de l'animal formant l'autre extrémité. Le navire mesure 21,50 m de long et présente quinze trous de nage sur chaque flanc, nécessitant donc un minimum de 30 hommes pour ramer. D'apparence fragile, il n'a pas dû naviguer sur l'Océan et fut probablement utilisé pour le cabotage. Il contenait une passerelle, un seau pour écoper, un mât, un gouvernail, une barre, une ancre et 15 paires de rames.

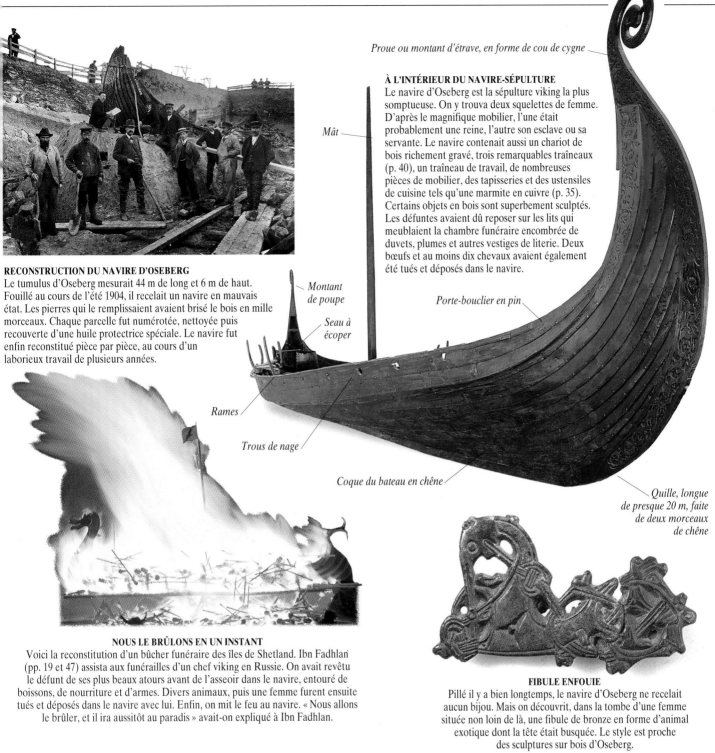

Proue ou montant d'étrave, en forme de cou de cygne

À L'INTÉRIEUR DU NAVIRE-SÉPULTURE

Le navire d'Oseberg est la sépulture viking la plus somptueuse. On y trouva deux squelettes de femme. D'après le magnifique mobilier, l'une était probablement une reine, l'autre son esclave ou sa servante. Le navire contenait aussi un chariot de bois richement gravé, trois remarquables traîneaux (p. 40), un traîneau de travail, de nombreuses pièces de mobilier, des tapisseries et des ustensiles de cuisine tels qu'une marmite en cuivre (p. 35). Certains objets en bois sont superbement sculptés. Les défuntes avaient dû reposer sur les lits qui meublaient la chambre funéraire encombrée de duvets, plumes et autres vestiges de literie. Deux bœufs et au moins dix chevaux avaient également été tués et déposés dans le navire.

Mât

Montant de poupe

Seau à écoper

Porte-bouclier en pin

RECONSTRUCTION DU NAVIRE D'OSEBERG

Le tumulus d'Oseberg mesurait 44 m de long et 6 m de haut. Fouillé au cours de l'été 1904, il recelait un navire en mauvais état. Les pierres qui le remplissaient avaient brisé le bois en mille morceaux. Chaque parcelle fut numérotée, nettoyée puis recouverte d'une huile protectrice spéciale. Le navire fut enfin reconstitué pièce par pièce, au cours d'un laborieux travail de plusieurs années.

Rames

Trous de nage

Coque du bateau en chêne

Quille, longue de presque 20 m, faite de deux morceaux de chêne

NOUS LE BRÛLONS EN UN INSTANT

Voici la reconstitution d'un bûcher funéraire des îles de Shetland. Ibn Fadhlan (pp. 19 et 47) assista aux funérailles d'un chef viking en Russie. On avait revêtu le défunt de ses plus beaux atours avant de l'asseoir dans le navire, entouré de boissons, de nourriture et d'armes. Divers animaux, puis une femme furent ensuite tués et déposés dans le navire avec lui. Enfin, on mit le feu au navire. « Nous allons le brûler, et il ira aussitôt au paradis » avait-on expliqué à Ibn Fadhlan.

FIBULE ENFOUIE

Pillé il y a bien longtemps, le navire d'Oseberg ne recelait aucun bijou. Mais on découvrit, dans la tombe d'une femme située non loin de là, une fibule de bronze en forme d'animal exotique dont la tête était busquée. Le style est proche des sculptures sur bois d'Oseberg.

COFFRE FUNÉRAIRE

La chambre funéraire d'Oseberg contenait les fragments de coffres en bois, dont celui-ci, qui est le mieux conservé. En chêne décoré de larges ferrures, il présente un système de fermeture très élaboré, composé de trois barres de fer qui se terminent par une tête d'animal. Le coffre était rempli d'outils dont la défunte était censée avoir besoin dans l'autre monde.

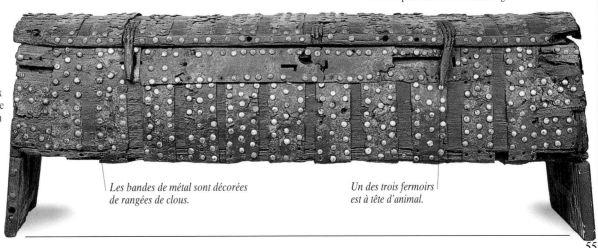

Les bandes de métal sont décorées de rangées de clous.

Un des trois fermoirs est à tête d'animal.

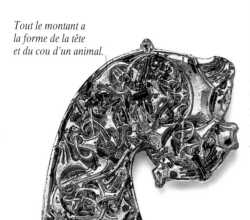

Tout le montant a la forme de la tête et du cou d'un animal.

TRÉSORS ENFOUIS

Les Vikings étaient enterrés avec toutes sortes de trésors constitués généralement des objets personnels préférés ou les plus beaux que le défunt ou la défunte possédait. Certains, spécialement fabriqués pour la tombe, fournissent des indices sur la vie des Vikings, sur la façon dont ils préparaient la nourriture, cousaient, se meublaient, s'habillaient, sur leurs bijoux, sur les ustensiles et les armes qu'ils utilisaient quotidiennement.

Tête humaine ou d'animal

Patte

Oiseaux

Gueule d'animal, peut-être d'un lion

Tête d'un animal au long nez recourbé

Animaux de profil, museau contre museau

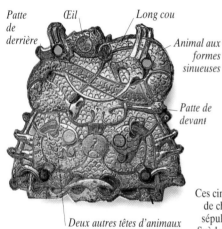

Patte de derrière — *Œil* — *Long cou*

Animal aux formes sinueuses

Patte de devant

Oiseau

Deux autres têtes d'animaux

DE SUPERBES MORS DE CHEVAL

Ces cinq appliques rutilantes font partie d'un mors de cheval et furent découvertes dans une riche sépulture d'homme à Broa, dans le Gotland, en Suède. Datant du VIIIᵉ siècle, elles sont en bronze recouvert d'or, et décorées d'un ensemble d'animaux et d'oiseaux : certains s'enroulent en rubans souples, d'autres, tout ronds, s'agrippent à ce qui leur tombe sous la patte (p. 37).

Anse en bronze coulé

Motifs en spirale gravés sur les feuilles de bronze

SEAU À BOISSON

Fabriqué dans le nord de l'Angleterre, ou en Irlande, ce seau fut enfoui, vers l'an 900, dans la tombe d'une femme, à Birka, en Suède. En bois de bouleau recouvert de feuilles de bronze il servait sans doute à verser les boissons.

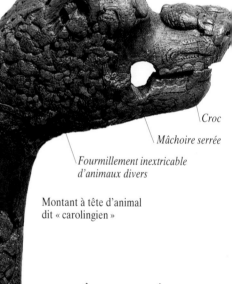

Croc

Mâchoire serrée

Fourmillement inextricable d'animaux divers

Montant à tête d'animal dit « carolingien »

TÊTES MYSTÉRIEUSES

Parmi les trésors du navire-sépulture d'Oseberg se trouvaient cinq étranges montants de bois, dont trois sont représentés ici. Surmontés de créatures fantastiques avec une gueule effrayante, ils sont gravés dans un style différent, attestant l'habileté étonnante des sculpteurs. La tête et le cou des animaux sont sculptés de petites figures enchevêtrées. On ignore encore à quoi étaient destinés ces montants.

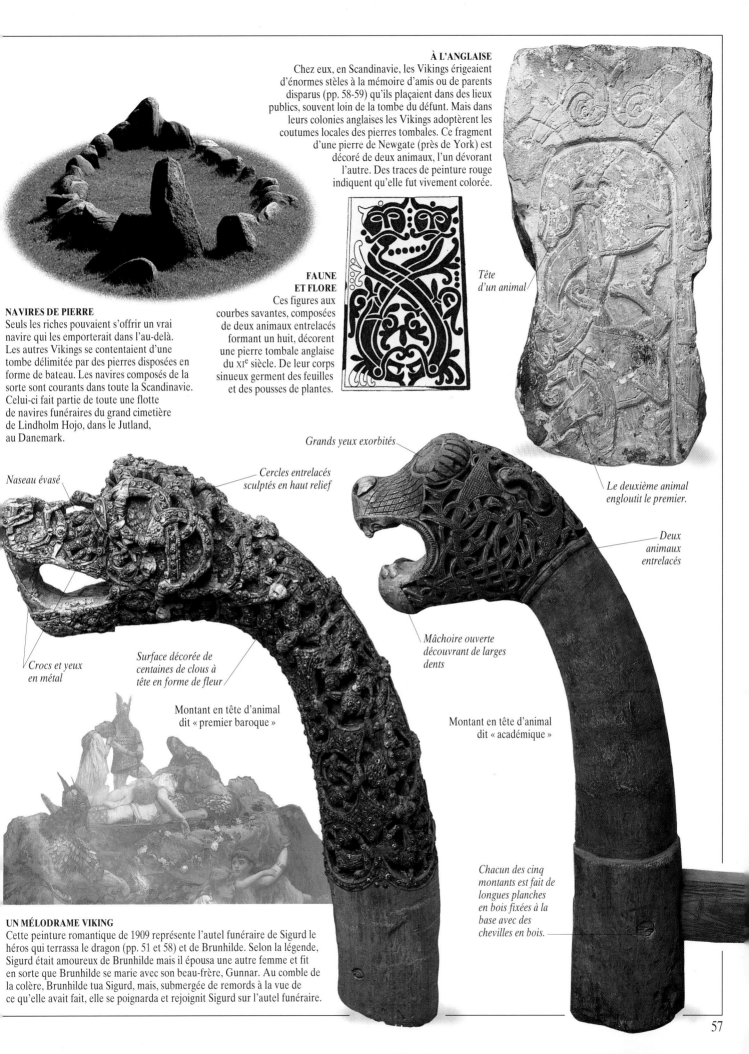

À L'ANGLAISE

Chez eux, en Scandinavie, les Vikings érigeaient d'énormes stèles à la mémoire d'amis ou de parents disparus (pp. 58-59) qu'ils plaçaient dans des lieux publics, souvent loin de la tombe du défunt. Mais dans leurs colonies anglaises les Vikings adoptèrent les coutumes locales des pierres tombales. Ce fragment d'une pierre de Newgate (près de York) est décoré de deux animaux, l'un dévorant l'autre. Des traces de peinture rouge indiquent qu'elle fut vivement colorée.

Tête d'un animal

FAUNE ET FLORE

Ces figures aux courbes savantes, composées de deux animaux entrelacés formant un huit, décorent une pierre tombale anglaise du XIᵉ siècle. De leur corps sinueux germent des feuilles et des pousses de plantes.

Le deuxième animal engloutit le premier.

NAVIRES DE PIERRE

Seuls les riches pouvaient s'offrir un vrai navire qui les emporterait dans l'au-delà. Les autres Vikings se contentaient d'une tombe délimitée par des pierres disposées en forme de bateau. Les navires composés de la sorte sont courants dans toute la Scandinavie. Celui-ci fait partie de toute une flotte de navires funéraires du grand cimetière de Lindholm Hojo, dans le Jutland, au Danemark.

Grands yeux exorbités

Naseau évasé

Cercles entrelacés sculptés en haut relief

Deux animaux entrelacés

Crocs et yeux en métal

Surface décorée de centaines de clous à tête en forme de fleur

Mâchoire ouverte découvrant de larges dents

Montant en tête d'animal dit « premier baroque »

Montant en tête d'animal dit « académique »

Chacun des cinq montants est fait de longues planches en bois fixées à la base avec des chevilles en bois.

UN MÉLODRAME VIKING

Cette peinture romantique de 1909 représente l'autel funéraire de Sigurd le héros qui terrassa le dragon (pp. 51 et 58) et de Brunhilde. Selon la légende, Sigurd était amoureux de Brunhilde mais il épousa une autre femme et fit en sorte que Brunhilde se marie avec son beau-frère, Gunnar. Au comble de la colère, Brunhilde tua Sigurd, mais, submergée de remords à la vue de ce qu'elle avait fait, elle se poignarda et rejoignit Sigurd sur l'autel funéraire.

LES RUNES RACONTENT L'ÉPOPÉE

Les Vikings célébraient la bravoure sur le champ de bataille et glorifiaient la mort des parents en érigeant des stèles commémoratives. Ils y gravaient des dessins et des écritures runiques (runes), souvent encadrés de serpents entrelacés. Parfois même, ils édifiaient des stèles de leur vivant pour faire valoir leurs hauts faits ou chantaient les êtres chers disparus au cours de lointaines expéditions. Ces stèles étaient construites dans des lieux publics afin que chacun puisse les admirer. Sur celles de l'île de Gotland les runes sont remplacées par des dessins mettant en scène des dieux, des héros, des navires et des guerriers.

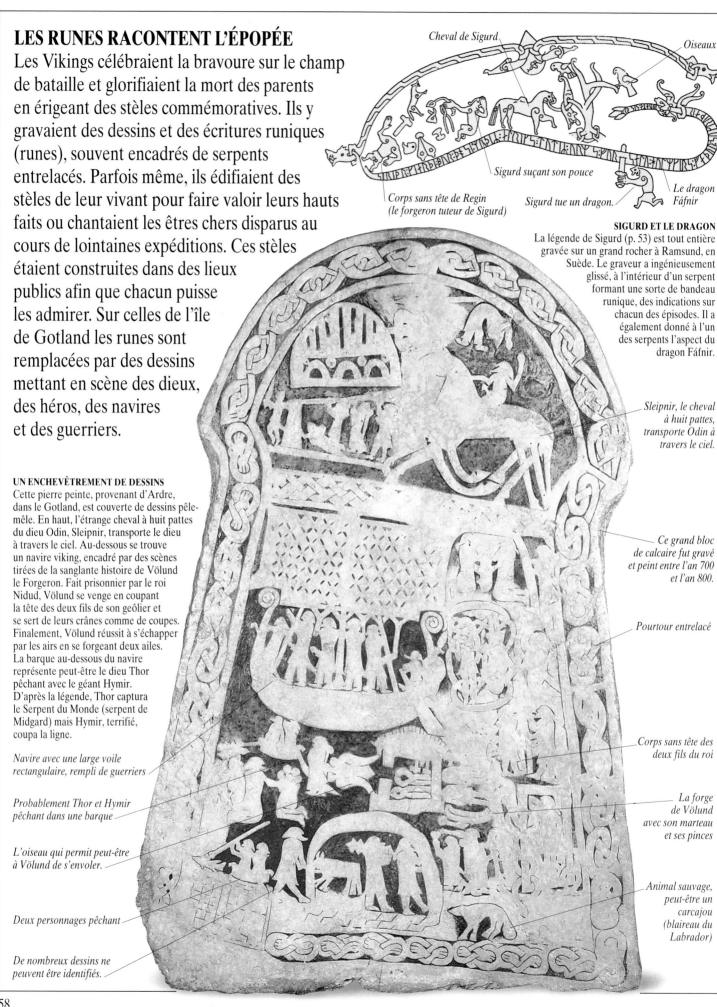

Cheval de Sigurd

Oiseaux

Sigurd suçant son pouce

Corps sans tête de Regin (le forgeron tuteur de Sigurd)

Sigurd tue un dragon.

Le dragon Fáfnir

SIGURD ET LE DRAGON
La légende de Sigurd (p. 53) est tout entière gravée sur un grand rocher à Ramsund, en Suède. Le graveur a ingénieusement glissé, à l'intérieur d'un serpent formant une sorte de bandeau runique, des indications sur chacun des épisodes. Il a également donné à l'un des serpents l'aspect du dragon Fáfnir.

Sleipnir, le cheval à huit pattes, transporte Odin à travers le ciel

Ce grand bloc de calcaire fut gravé et peint entre l'an 700 et l'an 800.

Pourtour entrelacé

UN ENCHEVÊTREMENT DE DESSINS
Cette pierre peinte, provenant d'Ardre, dans le Gotland, est couverte de dessins pêle-mêle. En haut, l'étrange cheval à huit pattes du dieu Odin, Sleipnir, transporte le dieu à travers le ciel. Au-dessous se trouve un navire viking, encadré par des scènes tirées de la sanglante histoire de Völund le Forgeron. Fait prisonnier par le roi Nidud, Völund se venge en coupant la tête des deux fils de son geôlier et se sert de leurs crânes comme de coupes. Finalement, Völund réussit à s'échapper par les airs en se forgeant deux ailes. La barque au-dessous du navire représente peut-être le dieu Thor pêchant avec le géant Hymir. D'après la légende, Thor captura le Serpent du Monde (serpent de Midgard) mais Hymir, terrifié, coupa la ligne.

Navire avec une large voile rectangulaire, rempli de guerriers

Probablement Thor et Hymir pêchant dans une barque

L'oiseau qui permit peut-être à Völund de s'envoler.

Deux personnages pêchant

De nombreux dessins ne peuvent être identifiés.

Corps sans tête des deux fils du roi

La forge de Völund avec son marteau et ses pinces

Animal sauvage, peut-être un carcajou (blaireau du Labrador)

Calendrier médiéval gravé sur une baguette de bois composé de 657 signes

L'inscription runique commence en ces termes : « Corne de cerf... »

LETTRES RUNIQUES

Les runes, composées de lignes droites ou diagonales, étaient aisées à graver dans le bois ou la pierre. L'alphabet de base possède 16 runes. Le calendrier suédois gravé sur une baguette de bois (ci-dessus) montre comment elles se développèrent.

RAMURE GRAVÉE
Des requêtes, des comptes voire des messages d'amour furent gravés en runes sur des branches. Cette ramure de cerf, découverte à Dublin, en Irlande, a été aplatie pour que l'on puisse y graver une inscription.

Runes non encore déchiffrées

Queue de serpent

Texte runique

RUNES SECRÈTES DU GROENLAND
Une face de cette branche de pin, qui date de l'an mille, présente l'aphabet runique et les deux autres des runes mystérieuses et magiques dont personne ne sait ce qu'elles signifient.

Croix prouvant que Jarlebanke était chrétien

LE PEIGNE DE THORFAST
Les objets quotidiens portaient souvent la marque de leur fabricant ou de leur propriétaire. Sur cet étui à peigne, on peut lire : « Thorfast fit un bon peigne ».

F U TH A R K H N I A S T   B M L R

FUTHARK
L'alphabet runique de base est appelé *futhark*, d'après les six premières lettres. Les plus anciennes inscriptions runiques, remontant à 200 ans environ apr. J.-C., proviennent d'un grand alphabet de 24 caractères. Autour de l'an 800 se répandit un alphabet viking raccourci de huit lettres. On utilisait une autre version de l'alphabet, appelée « runes à branches courtes », pour les messages courants.

Gueule de serpent

COMMENT SE FAIRE VALOIR
Jarlebanke était un riche propriétaire terrien du IXe siècle, fort préoccupé de lui-même. Il construisit une chaussée sur un terrain marécageux à Täby, en Suède, puis édifia deux stèles runiques à chaque extrémité pour rappeler aux voyageurs sa bonne action. Il érigea également, dans le cimetière de Vallentuna, petit village voisin, cette stèle annonçant que « Jarlebanke a élevé ce monument en mémoire de sa propre vie, construit le lieu du Thing et possédé seul la totalité de ce Hundred ». Le Thing était l'assemblée régionale (p. 29), le Hundred, un territoire qui avait sa propre assemblée.

LA STÈLE DE SAINT-PAUL
En 1852, on découvrit dans le cimetière de la cathédrale de Saint-Paul, à Londres, une dalle recouvrant une magnifique tombe qui devait avoir la forme d'un coffre. La dalle était décorée par un quadrupède se tordant et s'enroulant fermement autour d'un petit animal, comme le montre cette aquarelle. On a reconstitué les couleurs à partir de légères traces de pigments décelées sur la dalle. Le motif ornemental indique que celle-ci fut gravée au XIe siècle. Les inscriptions runiques, sur une des faces de la dalle, disent que « Ginna et Toki firent placer cette pierre ». Ce devait être deux guerriers appartenant à l'armée de Knut le Grand, qui devint roi d'Angleterre en 1016 (p. 28).

LA PIERRE DE JELLING A TROIS CÔTÉS

Il s'agit là du plus grand monument de pierre de Scandinavie. Elle fut érigée par le roi Harald à la Dent Bleue sur le tombeau royal de Jelling, dans le Jutland, au Danemark. À côté d'elle, se dressent deux immenses tumulus. L'un d'eux, le tumulus du Nord, indique peut-être l'endroit où furent enterrés, au cours d'une cérémonie païenne (pp. 56-57), les parents d'Harald, le roi Gorm et la reine Thyra. Lorsque Harald se convertit au christianisme, il construisit une église près des tumulus et y transféra les restes de ses parents. Puis il éleva la pierre de Jelling à leur mémoire mais aussi à la gloire de sa puissance comme roi de Norvège et de Danemark. La pierre forme une pyramide à trois côtés, le premier étant recouvert d'inscriptions, les deux autres de peintures.

MORDANT DE CEINTURE EN ARGENT
Le roi Gorm a peut-être porté ce mordant sur sa ceinture. Il fut trouvé dans une tombe placée dans une église de Jelling, parmi les ossements d'un inconnu qui aurait pu être Gorm.

Deux animaux en rubans entrelacés

CETTE COUPE A-T-ELLE APPARTENU À GORM ?
Connue sous le nom de coupe de Jelling, elle fut découverte dans le tumulus nord. Pas plus grande qu'un coquetier, elle est ornée d'animaux entrelacés en rubans qui donnèrent leur nom au style ornemental viking dit de Jelling. Bien qu'elle évoque la forme d'un calice, il ne s'agit probablement que d'un gobelet.

La pierre d'origine fut taillée d'une seule pièce dans un rocher de granit massif veiné de rouge.

« La grande bête », animal sauvage pourvu de longues griffes et d'une longue queue

L'animal est enserré dans les anneaux d'un serpent monstrueux.

Sorte de ruban décoré dans le style de Mammen, prolongation du style de Jelling (celui de la coupe) et qui utilise les plantes plutôt que les animaux pour former les rubans.

« LA GRANDE BÊTE »
Sur le deuxième côté de la pierre est gravé un serpent s'enroulant autour d'un animal. Leur lutte évoque un symbole du combat entre le bien et le mal. L'animal pourrait être un lion mais il est plus couramment appelé « la grande bête ». Cette scène devint si populaire dans l'art viking qu'elle fut représentée sur des broches (p. 34) et stèles runiques, comme celle de Saint-Paul (p. 59).

L'inscription de ce premier côté se poursuit ici : « ... et la Norvège... ».

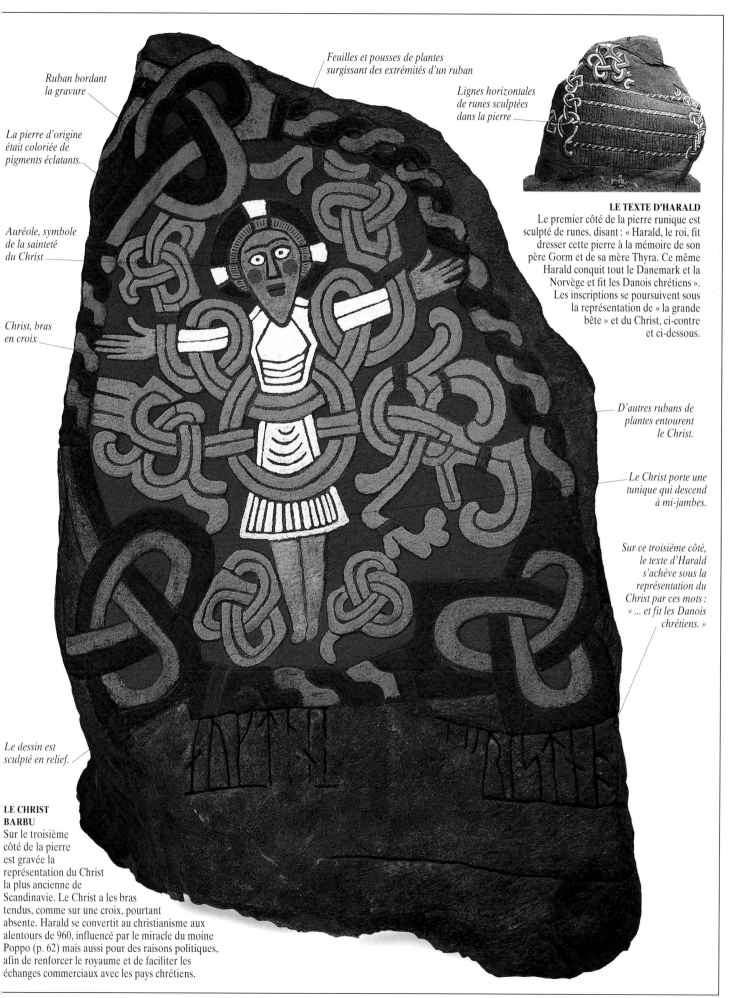

Ruban bordant
la gravure

Feuilles et pousses de plantes
surgissant des extrémités d'un ruban

Lignes horizontales
de runes sculptées
dans la pierre

La pierre d'origine
était coloriée de
pigments éclatants.

Auréole, symbole
de la sainteté
du Christ

Christ, bras
en croix

Le dessin est
sculpté en relief.

D'autres rubans de
plantes entourent
le Christ.

Le Christ porte une
tunique qui descend
à mi-jambes.

Sur ce troisième côté,
le texte d'Harald
s'achève sous la
représentation du
Christ par ces mots :
« ... et fit les Danois
chrétiens. »

LE TEXTE D'HARALD

Le premier côté de la pierre runique est
sculpté de runes, disant : « Harald, le roi, fit
dresser cette pierre à la mémoire de son
père Gorm et de sa mère Thyra. Ce même
Harald conquit tout le Danemark et la
Norvège et fit les Danois chrétiens ».
Les inscriptions se poursuivent sous
la représentation de « la grande
bête » et du Christ, ci-contre
et ci-dessous.

LE CHRIST
BARBU

Sur le troisième
côté de la pierre
est gravée la
représentation du Christ
la plus ancienne de
Scandinavie. Le Christ a les bras
tendus, comme sur une croix, pourtant
absente. Harald se convertit au christianisme aux
alentours de 960, influencé par le miracle du moine
Poppo (p. 62) mais aussi pour des raisons politiques,
afin de renforcer le royaume et de faciliter les
échanges commerciaux avec les pays chrétiens.

LE CHRISTIANISME SUPPLANTE LES DIEUX VIKINGS

La Scandinavie était entourée de pays chrétiens mais comme les marchands vikings portaient souvent des croix ils voyageaient librement sur les terres chrétiennes (p. 27). La plupart des Vikings restèrent fidèles à leurs dieux jusque vers la fin du Xe siècle. Puis, comprenant que le christianisme leur permettait de renforcer leur pouvoir, les rois encouragèrent les missionnaires venant d'Angleterre et d'Allemagne. Le Danemark fut converti sous le roi Harald à la Dent Bleue en 960, suivi par la Norvège, au début du XIe siècle. En Suède, les croyances traditionnelles survécurent jusqu'à la fin du XIe siècle. Voyant que les rois ou les missionnaires qui détruisaient leurs statues n'étaient pas punis par Odin, Thor ou Frey, les Vikings abandonnèrent leurs dieux.

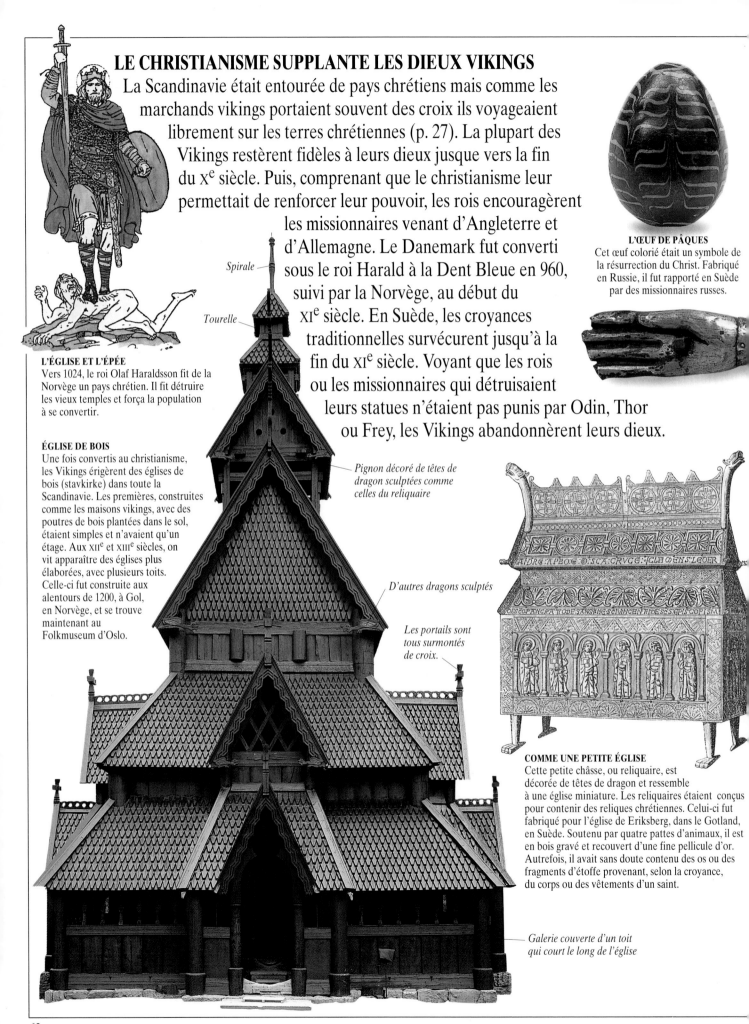

L'ŒUF DE PÂQUES
Cet œuf colorié était un symbole de la résurrection du Christ. Fabriqué en Russie, il fut rapporté en Suède par des missionnaires russes.

L'ÉGLISE ET L'ÉPÉE
Vers 1024, le roi Olaf Haraldsson fit de la Norvège un pays chrétien. Il fit détruire les vieux temples et força la population à se convertir.

ÉGLISE DE BOIS
Une fois convertis au christianisme, les Vikings érigèrent des églises de bois (stavkirke) dans toute la Scandinavie. Les premières, construites comme les maisons vikings, avec des poutres de bois plantées dans le sol, étaient simples et n'avaient qu'un étage. Aux XIIe et XIIIe siècles, on vit apparaître des églises plus élaborées, avec plusieurs toits. Celle-ci fut construite aux alentours de 1200, à Gol, en Norvège, et se trouve maintenant au Folkmuseum d'Oslo.

Spirale

Tourelle

Pignon décoré de têtes de dragon sculptées comme celles du reliquaire

D'autres dragons sculptés

Les portails sont tous surmontés de croix.

COMME UNE PETITE ÉGLISE
Cette petite châsse, ou reliquaire, est décorée de têtes de dragon et ressemble à une église miniature. Les reliquaires étaient conçus pour contenir des reliques chrétiennes. Celui-ci fut fabriqué pour l'église de Eriksberg, dans le Gotland, en Suède. Soutenu par quatre pattes d'animaux, il est en bois gravé et recouvert d'une fine pellicule d'or. Autrefois, il avait sans doute contenu des os ou des fragments d'étoffe provenant, selon la croyance, du corps ou des vêtements d'un saint.

Galerie couverte d'un toit qui court le long de l'église

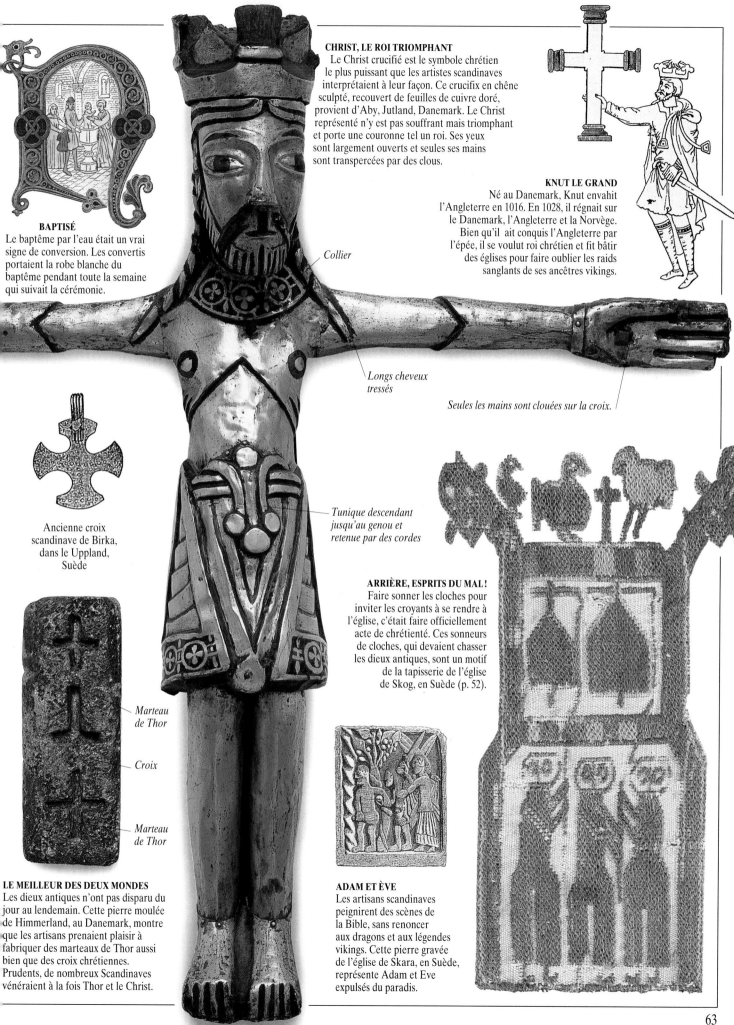

BAPTISÉ
Le baptême par l'eau était un vrai signe de conversion. Les convertis portaient la robe blanche du baptême pendant toute la semaine qui suivait la cérémonie.

CHRIST, LE ROI TRIOMPHANT
Le Christ crucifié est le symbole chrétien le plus puissant que les artistes scandinaves interprétaient à leur façon. Ce crucifix en chêne sculpté, recouvert de feuilles de cuivre doré, provient d'Aby, Jutland, Danemark. Le Christ représenté n'y est pas souffrant mais triomphant et porte une couronne tel un roi. Ses yeux sont largement ouverts et seules ses mains sont transpercées par des clous.

KNUT LE GRAND
Né au Danemark, Knut envahit l'Angleterre en 1016. En 1028, il régnait sur le Danemark, l'Angleterre et la Norvège. Bien qu'il ait conquis l'Angleterre par l'épée, il se voulut roi chrétien et fit bâtir des églises pour faire oublier les raids sanglants de ses ancêtres vikings.

Collier

Longs cheveux tressés

Seules les mains sont clouées sur la croix.

Ancienne croix scandinave de Birka, dans le Uppland, Suède

Tunique descendant jusqu'au genou et retenue par des cordes

ARRIÈRE, ESPRITS DU MAL !
Faire sonner les cloches pour inviter les croyants à se rendre à l'église, c'était faire officiellement acte de chrétienté. Ces sonneurs de cloches, qui devaient chasser les dieux antiques, sont un motif de la tapisserie de l'église de Skog, en Suède (p. 52).

Marteau de Thor

Croix

Marteau de Thor

LE MEILLEUR DES DEUX MONDES
Les dieux antiques n'ont pas disparu du jour au lendemain. Cette pierre moulée de Himmerland, au Danemark, montre que les artisans prenaient plaisir à fabriquer des marteaux de Thor aussi bien que des croix chrétiennes. Prudents, de nombreux Scandinaves vénéraient à la fois Thor et le Christ.

ADAM ET ÈVE
Les artisans scandinaves peignirent des scènes de la Bible, sans renoncer aux dragons et aux légendes vikings. Cette pierre gravée de l'église de Skara, en Suède, représente Adam et Eve expulsés du paradis.

63

INDEX

NOTES

Dorling Kindersley tient à remercier :
Birthe L. Clausen du Viking Ship Museum, Roskilde, Danemark ; Vibe Ødegaard et Niels-Knud Liebgott du Nationalmuseet, Copenhague ; Brynhilde Svenningsson du Vitenskapsmuseet, Université de Trondheim, Norvège ; Arne Emil Christensen et Sjur H. Oahl du Viking Ship Museum, Oslo, Norvège ; Lena Thalin-Bergman et Jan Peder Lamm du Statens Historika Museum, Stockholm, Suède ; Patrick Wallace et Wesley Graham du National Museum of Ireland, Dublin ; Elisabeth Hartley du York Museum et Christine McDonnel et Beverly Shaw du York Archaeological Trust, Angleterre ; Dougal McGhee ; Claude et Mimi carez ; Niels et Elisabeth Bidstrup à Copenhague et Malinka Briones à Stockhom ; Norse film et Pageant Society ; Helena Spiteri, Manisha Patel, Sharon Spencer et Céline Carez. Photographies complémentaires : Geoff Dann (modèles pp. 12, 13, 19, 27, 28, 30, 31, 44 et animaux pp. 37, 38-39) ; Per E. Fredriksen (32bg, 32-33) ; Gabriel Hildebrandt du Statens Historika Museum , Stockholm ; Janet Murray du British Museum, Londres.
Illustrations : Simone End, Andrew Nash.

ICONOGRAPHIE

h= haut, b= bas, c= centre, g= gauche, d= droite

Archeological &Heritage Picture Library, York : 16bc ; Bibliothèque Nationale, Paris : 16bd ; Biofoto, Frederiksberg / Karsten Schnack : 20cg, /JK Winther : 22cd ; Bridgeman Art Library, Londres / Jamestown foundation ©Holmes : 21hg, / Musée d'Art Moderne, Paris / Giraudon, Wassily Kandinsky "Chant de la Volga" 1906, © ADAGP, Paris et DACS, Londres 1994 : 19bd, / Russian Museum, St Pétersbourg, © Ilya Glazunov "Les petits fils de Gostomysl" : 18bg ; British Museum : 2bc, 4chg, 5bc, 6cd, 14c, 16cg, 25hd, 27cg, 29bg, 29bd, 30bg, 36bc, 37cg, 46hg, 46c, 47c deuxième ext., 47bd, 48bg, 49hd, 59cd, 4ème à gauche ; Jean-Loup Charmet, Paris : 6hg, 10hg, 16c, 19hd, 34hg ; DAS Photo : 55cg ; CM Dixon : 12bd, 53cd, / Museum of Applied Arts (Arts Appliqués), Oslo : 13hg ; Mary Evans Picture Library : 14cd, 17hc, 20hg, 30hg, 46bc, 53cg, 53bd ; Fine Art Photographs : 57bg, Forhistorisk Museum, Moesgård : 52bd ; Werner Forman Archive : 21hd, 24bd, / Arhus Kunstmuseum, Danemark : 53hg, / Statens Historiska Museum : 52cd, 63bd, / Universitetets Oldsaksamling, Oslo : 43cg ; Michael Holford / Musée de Bayeux : 10bg, 15cd, 34hd, 34bd, 35bg, 38bg, 38bc, 43hd, 43cd, / Frank Lane Picture Agency / W Wisniewski : 50hd ; Mansell Collection : 12bg, 50hg ; Museum of London : 44hc, 44cd ; © Nasjonalgalleriet, Oslo 1993 / J Lathion : Christian Krogh "Leiv Erikson découvrant l'Amérique" huile (313 x 470 cm) : 24hd, Johannes Flintoe "Le port de Skiringssal" huile (54 x 65 cm) (détail) : 28bg ; National Maritime Museum : 24hcg, / James Stephenson : 25 hcd ; Nationalmuseet, Copenhague / Kit Weiss : 29hd, 29c, 44bd ; National Museum of Ireland : 7cd, 16hd, 17hd, 50cd, 59hd, deuxième en bas ; Peter Newark's Historical Pictures : 11cg, 17cg ; Novosti / Academy of Sciences, St Petersbourg : 22hd ; © Pierpont Morgan Library, New York 1993 M736 f 9v : 7bg, f12v : 17hg ; Mick Sharp :38hd ; Statens Historiska Museum, Stockholm / Bengt Lundberg : 28hg, TRIP : 32hd, 57hg ; Universitets Oldsaksamling, Oslo : 8hd, 9hg, 13hd, 13cg, 25hc, 32cd, 43cg, 51c, 55hg, 55hd, 55hd, 55cd ; Vikinggeskibs-hallen Roskilde / WernerKarrasch : 11hc, Vitenkapsmuseet, University of Rondheim / Per Fredriksen : 33cg, 32bg, 32 / 33b ; Eva Wilson : 59bd.

Rien n'a été négligé pour retrouver les propriétaires des copyrights et nous excusons par avance des omissions involontaires. Nous serons heureux à l'avenir de pouvoir faire les remerciements adéquats.